DESPREZ

1792–1992

LOUIS JEAN DESPREZ

Tecknare, Teaterkonstnär, Arkitekt

En utställning ingående
i Nationalmuseums
200-årsjubileum

NATIONALMUSEUM
3 JUNI 1992–4 OKTOBER 1992

Utställningen har möjliggjorts genom bidrag från Grand Hôtel, Stockholm, SAS och Svenska Dagbladet.

Nationalmuseum framför sitt varma tack till alla långivare:

Stockholm   Akademien för De Fria Konsterna
            Drottningholms Teatermuseum
            Kungliga biblioteket
            Kungliga Husgerådskammaren
            Kungliga Vitterhets-, Historie- och Antikvitets Akademien
            Nordiska museet
            Riksarkivet
            Stiftelsen för Musikkulturens främjande
            Stockholms Stadsmuseum

Norrköping   Norrköpings Konstmuseum
Uppsala   Uppsala universitetsbibliotek
London   British Museum
Paris   Institut Tessin
Wien   Graphische Sammlung Albertina
Privata ägare:
Lars Olsson, Stockholm samt långivare som önskar vara anonyma

UTSTÄLLNINGSKOMMISSARIER: Magnus Olausson och Ulf Cederlöf

ARBETSGRUPP: Ulf Cederlöf, Ragnar von Holten, Petra Lamers, Magnus Olausson, Barbro Stribolt

SEKRETARIAT: Sussi Wesström

PRESS OCH INFORMATION: Susanne Tryggve och Ingrid Bolmgren (08/666 42 91)

TRANSPORTER: Nationalmusei transportavdelning under ledning av Bo Jansson

MONTERING OCH HÄNGNING: Tommy Karlsson, Dan Sjödin och Sture Wertsberg

PAPPERSKONSERVERING: Leif Strinde, Ludmila Sjögren, Charlotte Ahlgren och Styrbjörn Svalsten

MÅLERIKONSERVERING: John Rothlind, Uno Kullander och Lena Dahlén

RAMKONSERVERING: Annika Marusarz och Jan-Olof Engborg

SNICKERIER: Leif Lindkuist och Anders Rylander

UTSTÄLLNINGSMÅLERI: Mikael Nylén

LJUSSÄTTNING: Lennart Karlsson

AFFISCH: Göran Thermænius

UTSTÄLLNINGSFLAGGOR: Anders Holmqvist

UTÅTRIKTAD VERKSAMHET: Nationalmuseums avd. för konstbildning under ledning av Lena Holger
Offentlig visning vissa onsdagar kl 13.00.
Bokning av gruppvisningar tel 08/666 44 28

KATALOGREDAKTION: Ulf Cederlöf, Ragnar von Holten, Nils-Göran Hökby och Magnus Olausson

FOTO: Erik Cornelius, Åsa Lundén, Bodil Karlsson och Hans Thorwid

GRAFISK FORM OCH OMSLAG: Arne Öström

LAYOUT: Nils-Göran Hökby

Mått i katalogen anger höjd × bredd i mm.

OMSLAGSBILD: Vy av Tivoli, detalj (kat.nr 7)

Nationalmusei utställningskatalog nr 550

© Copyright: Nationalmuseum och författarna

Tryckt av Bohusläningens Boktryckeri AB, Uddevalla 1992

ISBN 91-7100-415-7

Innehåll

1
PER KRAFFT D.Y. (1777–1863)

Louis Jean Desprez, 1796

Olja på duk, 1060 × 740

KONSTAKADEMIEN

Förord

Utställningen av *Louis Jean Desprez'* verk infaller vid den tidpunkt då firandet av Nationalmuseums 200 år kulminerar. I Gripsholms slott pågår en utställning som skildrar mordet på Gustav III, den person museet, i likhet med så många andra kulturinstitutioner i landet, har att tacka för sin existens. Även utställningen av Desprez' verk genomförs med en hälsning till den kung som hade svårt för att skilja på regerandets administrativa göromål och sitt eget och landets behov av ett rikt kulturliv. Just därför kom han också att lämna varaktigare spår efter sig i vår historia än många av dem som föregått och efterträtt honom.

Desprez kallades till Sverige av Gustav III. Med kungens död dalade hans stjärna, och hans liv slutade i misär. De kulturinstitutioner kungen lämnade efter sig skulle emellertid komma att bidra till att landets konstnärer blev allt mindre beroende av enskilda makthavares mer eller mindre nyckfulla välvilja. När Gustav IV Adolfs ynnest inte längre lyste över Des-prez, tog avundsjukan och hämndbegäret mot den en gång så favoriserade konstnären över. Den som då försökte hjälpa honom, så långt han förmådde, var Konglig Museums förste chef Carl Fredrik Fredenheim. Makten kommer och går, den är i sin självupptagenhet trolös, medan den skapande handling som inte eftersträvar denna makt tillförsäkrar sig ett långt liv. För Nationalmuseum är det därför en handling av största betydelse att, som en del av jubilerandet, kunna ge en förnyad aktualitet åt Desprez' namn och verk.

Vi framför ett varmt tack till alla dem som med utlån bidragit till utställningens förverkligande. För medverkan i katalogen tackar vi Barbro Stribolt och Petra Lamers.

Stockholm i mars 1992

OLLE GRANATH
överintendent

Preface

The exhibition of the works of *Louis Jean Desprez* coincides with the culmination of Nationalmuseum's bicentenary celebration. At Gripsholm Castle an exhibition now showing describes the assassination of Gustav III, the person whom the museum, like so many other cultural institutions in Sweden, has to thank for its existence. The exhibition of Desprez's work also includes a tribute to the King who had difficulty in distinguishing between the administrative chores of government and his own and the country's need of a full cultural life. For that very reason, he left more abiding traces in our history than many of the monarchs who preceded and succeeded him.

Desprez was summoned to Sweden by Gustav III. After the King's death his fortunes declined and he ended his days in penury. But the cultural institutions bequeathed by the King were to help Sweden's artists become less and less dependent on the more or less capricious benevolence of individual potentates. When Desprez could no longer bask in the favour of Gustav IV Adolf, envy and malice closed in on him. One person who then tried to help him as far as possible was the first Director of the Royal Museum, Carl Fredrik Fredenheim. Power comes and goes and it is fickle in its self-centredness, whereas the creative act not aspiring to power is assured of a long life. This makes it a matter of supreme importance for Nationalmuseum, as part of its celebrations, to lend new prominence to the name and works of Desprez.

We tender our sincere thanks to all of those who, by lending exhibits, have helped to make this exhibition possible. Our thanks are also due to Barbro Stribolt and Petra Lamers for their contributions to this catalogue.

Stockholm, March 1992

OLLE GRANATH
Director

Kronologi

1743 I maj föds Louis Jean Desprez i staden Auxerre, Bourgogne, son till perukmakaren Mathias Desprez och Perette Bourbon.

1750-talets början Skolgång

1755 Går i lära hos grafikern Charles-Nicolas Cochin och blir här bl.a. vän med svensken Pehr Floding.

1760-talets början Påbörjar studier vid Académie Royale d'Architecture i Paris.

1765 Erhåller i november sin första utmärkelse i Akademins pristävling.

1766 Erövrar en medalj vid Akademins pristävling i maj. Belönas på nytt i november för *Projekt till minnestempel ämnat att hysa askan efter Konungar och Stora Män*.
   Blir samma år ritlärare vid Ecole Militaire (krigshögskolan).

1767 Deltar åter i Akademins elevtävlingar dock utan att erhålla något pris.

1768 Börjar studera för arkitekten och scenografen Charles de Wailly.

1769 Erhåller tre utmärkelser i Akademins pristävlingar.

1770 Deciderar sitt av Louis Gustave Taraval graverade *Minnestempel över Stora Män* till Voltaire.

1771 Deltar i tävlingen om *le Grand Prix de Rome* men misslyckas.

1772 Är mycket nära att vinna Rompriset, men får nöja sig med en andraplacering.

1773 Misslyckas på nytt att erövra detta åtråvärda pris.

1774 Gifter sig med Anne Vermale.

1775 Deltar i tävlingen om Rompriset, men utan framgång.

1776 Erövrar i augusti det Stora Rompriset.
   Graverar under hösten interiörritningar till Palazzo Serra i Genua, utförda av läraren och vännen Charles de Wailly.

1777 Erhåller i mars diplom på en treårig vistelse som stipendiat vid franska Romakademin och avreser troligen omedelbart.
   Flyttar in i den officiella stipendiatbostaden i oktober.
   Engageras som illustratör av abbé de Saint-Non för verket *Voyage pittoresque, ou description des royaumes de Naples et de Sicile*. Erhåller anstånd med arkitekturstudierna och avreser söderut i början av december.

1778 Lämnar Neapel under våren. Reser runt i södra Italien och anländer så småningom till Sicilien i början av juni månad. Fortsätter till Malta i början av september. Återkommer till fastlandet i slutet av november.

1779 Återvänder till Rom i mitten av januari månad. Erhåller förlängning av anståndet med att påbörja arkitekturstudierna samtidigt som hustrun anländer till Rom.

1780 I augusti förlängs stipendietiden med ytterligare ett år.

1781 Börjar att ge ut en serie kolorerade konturetsningar med motiv från Rom och Neapel tillsammans med Francesco Piranesi.
   Sänder två arkitekturprojekt till Akademien.

1782 Förslag till en allmän badinrättning sänds i september till Paris. I november föräras Akademin en stor perspektivistiskt tecknad interiör från Peterskyrkan.

1783 Erhåller tillstånd att under två års tid disponera en bostad i franska Romakademin trots att stipendiet upphört.
Debuterar i november som målare med *Den helige Fadern välsignar folket från Peterskyrkans balkong*.
Gustav III anländer till Rom på julafton.

1784 Gustav III besöker Desprez' ateljé den 23 mars.
Gör uppmärksammad scenografi till en balett om Henrik IV på Teatro Aliberti.
Den 28 april undertecknar konstnären kontraktet som under två års tid gör honom till föreståndare för Kungl. Teaterns dekorationsateljé.
Gustav III beställer samtidigt två stora kompositioner: *Julmässan* och *Det brinnande fastlagskorset*.
Lämnar Rom den 24 juli.
Arbetar under hösten med dekoren till Gustav III:s och Johan Henrik Kellgrens historiska drama *Drottning Kristina*.

1785 Premiär på trettondagen av *Drottning Kristina* på Gripsholms slottsteater.
Invald i Konstakademin den 3 februari.
Reser till Finland den 9 juni för att göra illustrationer till en planerad *voyage pittoresque* om rikets östra del. Återvänder till Stockholm den 24 juni ombord på Gustav III:s lustjakt *Amadis*.
Utför under sommaren scenografi och rekvisita till kungens karusellspel på Drottningholm.

1786 Premiär den 19 januari på Kungl. Teatern av Gustav III:s och Kellgrens historiska skådespel *Gustaf Wasa* till musik av Johann Gottlieb Naumann och med scenografi av Desprez.
Dekorationer till en nyinstudering av Calzabigis och Glucks opera *Orfeus och Eurydike*. Premiär den 11 maj.
Kontraktet förnyas på tolv år fr.o.m. den 1 juli.
Premiär den 22 december på Johan Christian Brandes melodram *Ariadne på Naxos* på Munkbroteatern med scenografi av Desprez.

1787 Dekorationer till Quinaults opera *Armida* med musik av Gluck. Premiär den 24 januari på Kungl. Teatern.
Premiär den 31 maj på Gustav III:s och Leopolds enaktsoperan *Frigga* med scenografi av Desprez.
Dekorationer till Guillard-Ristell-Haeffners tragediopera *Electra*, premiär på Drottningholmsteatern med anledning av drottningens namnsdag den 22 juli.
Festdekor till invigningen den 19 augusti av bron mellan Kersö och Lovö.
Börjar engageras som arkitekt av kungen. Ritar *Corps-de-garde* för Haga.
Fullbordar *Gustav III bevistar julmässan i Peterskyrkan 1783*.

1788 Dekorationer till Gustav III:s och Kellgrens lyriska drama *Gustaf Adolf och Ebba Brahe*. Premiär på Kungl. Teatern den 24 januari.
Blir huvudansvarig arkitekt för Haga. Carl Christoffer Gjörwell d.y. utnämns till Desprez' assistent i februari.
Ritningar till utbyggnad av Koppartälten på Haga godkänns 31 mars.
Premiär samma dag på Adlerbeths och Naumanns opera *Cora och Alonzo*. Dekorationer av Desprez.
Förslag till restaurering av Skara domkyrka approberas den 7 maj.
Utnämns till *Konungens förste architect* den 12 maj.
Ritningar till Botanicum godkänns den 20 maj.
Förslag till lusthus på Drottningholm approberas den 17 juni.
Hagapalatset utvidgas med nya flygelarmar.
Arbetar under hösten med den stora kompositionen *Striden mellan crotonienserna och sybariterna*.

1789 Besöker Finland under sommaren för att göra studier till planerade bataljmålningar.
Reser till London samma höst för att där bl.a. utarbeta ritningar till ett nytt operahus.

1790 Återvänder under våren till Sverige och tillbringar ett halvår i Göteborg. Gör här dekorationer till en burlesk pantomim kallad *Vulcani utbrott*.
Anländer slutligen till Stockholm under hösten.

1790   Gör dekor till Kraus opera *Aeneas i Cartha-
go*, som dock uppförs först nio år senare.

1791   Ritlärare åt kronprins Gustaf (IV) Adolf.
Tillägnar Katarina den Stora ett projekt
till *Odödlighetens tempel*.
Hagapalatset utvidgas med trapphus mot
norr jämte monumental förgård.
Utarbetar restaureringsförslag till Uppsala
slott.

1792   Götiska tornet i Drottningholmsparken bör-
jar uppföras i mars. Attentat mot Gustav III
på en operamaskerad den 16 mars. Kungen
avlider den 29 mars.
Kongl. Museum instiftas den 28 juni.
Hertig-Regenten godkänner ritningar till
balettmästaren Gallodiers villa vid Drott-
ningholm den 26 september.
Nypremiär på Kungliga Teatern den 1 no-
vember på *Drottning Christina* med omarbetad
dekor av Desprez.

1793   Desprez gör i september inredningsförslag till
Kongl. Museums inre galleri.

1794   Dekorationer till Marsolliers opera-comique
De två Savoyarderna. Premiär på Kungl. Tea-
tern den 6 juni.
Gör dessutom scenografi till Jakob De la
Gardies historiska skådespel *Fale Bure* med
premiär på Arsenalsteatern den 15 maj.

1795   Sänder greve Nikolaj Sjeremetiev ritningar
till teaterdekor avsedd för dennes teater vid
slottet Ostankino utanför Moskva.
Utarbetar ritningar till en altartavla för
Kristine kyrka i Göteborg.

1796   Gör dekor i Rikssalen på Stockholms slott för
Gustav IV Adolfs myndighetsdag den 1 no-
vember.
Ritar kandelabrar för Kongl. Museum.

1797   Utnämns i januari till Louis Masreliez' efter-
trädare som professor i teckning vid Konst-
akademien, en post som Desprez dock aldrig
tillträder.
Dekorationer i Rikssalen på Stockholms
slott med anledning av det kungliga bilägret
den 31 oktober.
Gör ombyggnadsförslag till Konstakade-
miens byggnad.

1798   Fullbordar målningen *Gustav III besöker Tivoli
1784*.
Det tolvåriga kontraktet löper ut den 1 juli
utan att förnyas.
Gör ritningar till terriner m.m. för Carl
Fredrik Fredenheims *Plaitre- och stålfabrik* på
Djurgården.

1799   Deltar i Konstakademiens utställning med
*Project til en Äre-bygnad, at förvara Store Mäns
Minne*.

1800   Representerad på den årliga akademiutställ-
ningen med modellen av Hagapalatset samt
en fasadritning till den planerade ombyggna-
den av Konstakademins hus.

1801   Avslutar kompositionen *Utbrytningen ur Vi-
borgska viken*.
Gör fontänprojekt till Drottningholms-
parken.
Begär i juli fyra månaders permission för
att resa till S:t Petersburg.
Anhåller i december om tillstånd att få resa
till Paris för att personligen uppvakta Förste
konsuln Bonaparte med arkitekturprojekt.

1802   Utför dekoren till arvprinsens av Baden be-
gravning i Riddarholmskyrkan den 17 ja-
nuari.
Drabbas av ett slaganfall.
Sänder kejsaren i Wien två volymer, omfat-
tande dels ritningar till teaterdekor dels till
civilarkitektur.
Utnämnd den 10 november till *generalagent
för de fria konsterna i Italien*, något som förblir
en äretitel.

1803   Inlämnar ett projekt till ordnande av slotts-
omgivningarna i Stockholm den 1 november.
Ställer ut på Akademien bl.a. *Blodbadet vid
Palermo* och *Sicilianske Konungen Thérons graf-
vård befrias ifrån förstöring*.

1804   Deltar i Akademiens utställning med kompo-
sitionen *Staden Alexandrias grundläggning*.
Får i januari uppdraget att utföra ritningar
till dekoren för hertig Fredrik Adolfs begrav-
ning i Riddarholmskyrkan, vilket blir konst-
närens sista arbete.
Louis Jean Desprez avlider den 19 mars 60
år gammal av "nervfeber" i sitt hem på
Hovslagaregatan i Stockholm. Begravs den
22 mars på Jakobs kyrkogård.

Louis Jean Desprez' liv och verk
– en översikt

Magnus Olausson

D et har nu gått 200 år sedan skotten på den ödesdigra operamaskeraden satte punkt för tredje Gustavs korta men oerhört innehållsrika liv. Medan kungens politiska verksamhet blivit mycket omdiskuterad har det alltid rått fullständig enighet om det bestående värdet av hans kulturella insatser. Man skall dock ha klart för sig, att många i Gustav III:s samtid likställde kungens konstintresse med slösaktighet. De ogillade också att han lät inkalla främmande konstnärer, när det istället hörde till den patriotiska kutymen att gynna inhemska förmågor. Men utan att rädas kritikerna följde Gustav III sin intuition. Till de fåtal själsfränder som kungen hade i konstnärsvärlden får man förutom Sergel även räkna den franske teaterdekoratören och arkitekten Louis Jean Desprez. "Det finns ingen människa, som har minsta spår av fantasi mer än jag och Desprez" skall Gustav III en gång ha yttrat enligt den italienske resenären Giuseppe Acerbi. Även om uppgiften må vara apokryfisk, speglar yttrandet säkert ändå kungens uppfattning.

För denna gynnade ställning fick Desprez rejält lida efter Gustav III:s död. Den glömska som drabbat honom och hans konstnärliga gärning i Sverige hade redan sin beynnelse i det bistra kulturklimat som följde på kungamordet 1792. Denna monografiska utställning, anordnad två århundraden senare, vill därför på nytt göra Desprez' konstnärliga insatser rättvisa.

UPPVÄXTÅR OCH BEGYNNANDE KONSTNÄRLIG UTBILDNING

Louis Jean Desprez föddes 1743 i Auxerre, de ädla Bourgognevinernas huvudstad. Familjen ägnade sig dock inte åt vinhantering. Fadern, Mathias Desprez, liksom en farbroder var perukmakare. Om Louis Jeans uppväxt vet man inget, bara att hans skolgång verkar

ha varit kort. Desprez lärde sig nämligen aldrig att stava rätt, han skrev alltid ljudenligt. Som tolvåring finner vi honom i Paris, där han troligen gick i lära hos den berömde tecknaren och kopparstickaren Charles-Nicolas Cochin. Här hade Desprez av allt att döma lärt känna en annan av Cochins elever, svensken Pehr Floding. En ung svensk medicinstuderande, som besökte Paris 1755, berättar nämligen att han på en middag träffat sin landsman och den unge Desprez. Av detta framgår att Desprez fick sin första konstnärliga skolning som grafiker. I hans tidiga arbeten på detta område kan man spåra inflytande både från Stefano della Bella och Jacques Callot. Det är därför symptomatiskt att man långt senare i konstnärens bouppteckning finner en liten inklistringsvolym omnämnd, som skall ha innehållit gravyrer av Parroucel, della Bella, Tempesta och Callot. Kanske hade denna volym följt Desprez som en kär klenod från ungdomstiden.

I Bibliothèque Nationale, Paris, finns en serie anonyma kopparstick med motiv som tydligt inspirerats av Commedia dell' arte-traditionen. Dessa, jämte en burlesk allegori, har tidigare gått under Desprez' namn. I katalogen över Desprez' grafik har hans biograf, Nils G. Wollin, utan motivering avfört dessa stick från konstnärens oeuvres. Mycket talar dock fortfarande för att åtminstone den burleska allegorin kan föras till Desprez' ungdomsverk. Jämför man figurteckningen i allegorin med en sepiateckning, som visar Ecole Royale des Ponts et des Chaussées, är likheterna så stora att man på goda grunder kan anta att upphovsmannen är densamme, dvs. Desprez. När han långt senare skulle bli berömd för både makabra och burleska motiv såsom *Promotion médical* eller *Le Lavement*, byggde dessa bilder alldeles säkert på en djup kunskap och förtrogenhet med ämnet.

Till en kopparstickares uppgifter vid denna tid hörde fortfarande att tillhandahålla illustrationer till så vitt skilda ting som allt från skönlitteratur till läro-

Den burleska framställningen av "De moderna konsternas triumftåg eller Jupiters karneval" har troligen den unge Louis Jean Desprez som upphovsman. Paris, Bibliothèque Nationale

Desprez´ allegoriska framställning av Ecole Royale des Ponts et Chaussées är ett av konstnärens tidigast kända verk. Paris, Musée Carnavalet. Foto
© SPADEM 1992

böcker i byggnadskonst. Inte minst det sistnämnda tycks ha varit den direkta inkörsporten för Louis Jean Desprez i hans framtida skolning som arkitekt. Bl.a. skulle han gravera en del illustrationer till sin lärare, Jacques-François Blondels *Cours d'architecture*. När Des-prez' namn för första gången omnämns i den kungliga arkitekturakademiens handlingar hade han hunnit bli 22 år gammal. Man får därför anta att hans studier i arkitektur hade begynt tidigare, men exakt när vet man ej.

Desprez' vinnande förslag år 1776 till det Stora Rompriset, ett palats för en herreman, var på många sätt originellt, inte minst p.g.a. sin ålderdomliga karaktär. Paris, Ecole Nationale Supérieure des Beaux-Arts. Foto ENSBA

Att döma av Jacques-François Blondels yttranden var Desprez tidigt en självmedveten elev, som inte gärna ville inordna sig i samma fålla som de övriga. Trots en odiskutabel begåvning och ett stort mått av kreativitet var Desprez' egensinne säkert en av de främsta orsakerna till att han gång efter annan misslyckades med att erövra det åtråvärda *Grand Prix de Rome*. Först vid 33 års ålder nådde Desprez sina drömmars mål, men vid detta lag var han i mångas ögon redan för gammal. Icke desto mindre kan få ha varit så väl förberedda inför mötet med Roms arkitektur och konstskatter som just Louis Jean Desprez. Han hade inte bara en gedigen utbildning som tecknare, gravör och arkitekt. Genom en äldre kollega och vän, Charles de Wailly, hade Desprez också blivit skolad i teaterdekor. Den konstart som han senare skulle excellera i både i Rom och Stockholm behärskade han redan före avresan till Italien.

ABBÉ DE SAINT-NONS VOYAGE PITTORESQUE

Någon gång under sommaren 1777 anlände Desprez till Rom. Han hade genom särskilt tillstånd från den franske överintendenten, greve d'Angiviller, erhållit en våning på stan tills dess att han fick tillträde till sin stipendiatbostad i Palazzo Mancini, den fastighet vid Corson där den franska Romakademin var inrymd. Desprez flyttade in här i oktober, men hans vistelse blev mycket kort. Redan efter en månad skulle han bli engagerad som illustratör till abbé de Saint-Nons *Voyage pittoresque, ou description des royaumes de Naples et de Sicile*. Det hastigt påkomna uppdraget väcker misstanken att Desprez redan i Paris hade blivit kontrakterad i all hemlighet. Konstnären hade ju bl.a. utbett sig om favören att få avresa till Rom långt före den stipule-

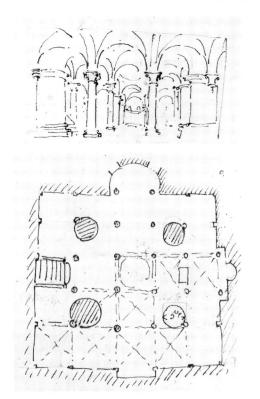

I en skissbok från resan i Syditalien har Desprez återgivit planen, med noggranna måttuppgifter samt interiören av kryptan till kyrkan Santa Maria i Siponte. Konstakademien

Resultatet av dessa studier har i gravyrförlagan till motivet med kryptan i Santa Maria i Siponte kompletterats med en anekdotisk framställning av en munk försjunken i bön. Fransk privat ägo

rade tiden. Men hur det än förhöll sig därmed, så hade Desprez tur. Genom greve d'Angivillers stora välvilja fick konstnären permission. I början av december 1777 reste han söderut.

Som reskamrat fick Desprez den blivande diplomaten Vivant Denon, som av abbé de Saint-Non fått i uppdrag att sköta de praktiska detaljerna under resan. Dessutom skulle denne leverera själva textunderlaget till *Voyage pittoresque*. Till gruppen hörde också en rad andra konstnärer, bl.a. Claude-Louis Châtelet, som var kontrakterad för att göra landskapsvyer. Men ingen av de verkliga "affischnamnen" bland illustratörerna såsom Fragonard och Hubert Robert medföljde. Det var i stället Saint-Nons avsikt att använda teckningar från deras gemensamma resa i Italien år 1761. Den stora mängden illustrationer skulle dock utföras främst av Châtelet och Desprez.

Desprez specialiserade sig främst på arkitekturbilderna, och hans skissböcker är också fyllda med noggranna uppmätningar. I några fall visar Desprez prov på en ovanlig förmåga att avläsa arkeologiska lämningar och se olika sammanhang. Men han skulle inte bara göra rekonstruktioner. Teatermänniskan Desprez lät också dramatisera dessa bilder med ett myller av figurer inbegripna i en aktiv handling. Inte sällan är det våldsamma bataljer i forntiden som skildras.

Desprez' studiematerial visar att han i hög grad var en fördomsfri iakttagare som inte endast sökte upp monumenten från den grekiska och den romerska antiken. Han hade lika stor aptit på såväl gotisk som barock arkitektur. I motsats till flera samtida arkitekter var inget främmande för denne eklektiker.

När Desprez efter den nära nog tolv månader långa resan återvände till Rom, medförde han ett imponerande studiematerial. Detta låg sedan till grund för den stora mängden gravyrförlagor som kom att hålla konstnären sysselsatt i flera år. Desprez skulle leverera inte mindre än 136 illustrationer till *Voyage pittoresque*.

TIDEN I ROM

För Desprez måste de första åren i Rom efter återkomsten från Syditalien ha varit en frustrerande tid. Dels hade han pressen på sig från sin uppdragsgivare i Paris, abbé de Saint-Non, dels fordrade hans status som stipendiat vid den franska Romakademin att han företedde bevis för sin förkovring inom arkitekturen. Dilemmat blev inte mindre när Desprez insåg att han helt saknade lust att ta upp arkitekturstudierna igen. För tillfället gav ändå arbetet med abbé de Saint-Nons *Voyage pittoresque* honom en legitim orsak att lägga byggnadskonsten åt sidan. Och Desprez hade tur. De styrande, med överintendenten greve d'Angiviller i spetsen, var sällsynt välvilligt inställda till hans arbete för abbé de Saint-Non och därför kunde han under år 1779 helt ägna sig åt att färdigställa gravyrförlagorna till *Voyage pittoresque*. Men även sedan denna respit var till ända visade greve d'Angiviller fortsatt stor generositet mot Desprez. I augusti 1780 förlängdes konstnä-

2

Interiör av Pantheon

Penna och brunt bläck, lavering i brunt,
153 × 234

NMH A1/1992

3

Kapitolinska platsen sedd från Konservatoriepalatset

Penna och brun-svart bläck, lavering i
brunt och grått, 210 × 269

NMH A2/1992

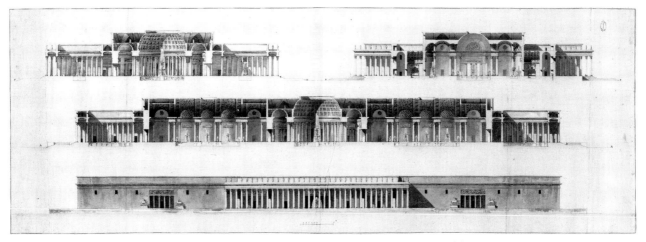

Det förslag till allmän badinrättning som Desprez sände Akademien i Paris 1782 skiljer sig knappast från andra jättelika projekt i samtiden med oändliga kolonnfasader, och kupolvälvda rum. Paris, Ecole Nationale Supérieure des Beaux-Arts. Foto ENSBA

rens stipendium med ytterligare ett år.

För att kunna visa upp resultat och samtidigt uttrycka sin tacksamhet skickade Desprez följande år (1781) två arkitekturprojekt till greve d'Angiviller. Det är dock okänt vilken typ av byggnader som det rörde sig om. Däremot har de ritningar till den allmänna badinrättning bevarats som Desprez sände till Paris i september 1782. Här finner man inte ett spår av vare sig originalitet eller inspiration. För Desprez var dessa arkitekturprojekt något rent pliktmässigt, som tillkom för att hålla höga vederbörande på gott humör. I själva verket ägnade sig konstnären åt helt andra saker. Redan ett år tidigare hade nämligen Desprez i all tysthet bestämt sig för att avbryta arkitekturstudierna. I samband med resorna i Syditalien hade konstnären blivit en driven topografisk tecknare. Desprez excellerade dessutom i folklivsskildringar och praktfulla religiösa ceremonier, där han till fullo förstod att tillvara alla teatrala effekter. Nu fortsatte Desprez på den inslagna vägen och han tycks ha varit väl medveten om det kommersiellt gångbara i motiv av denna art. Svensken Louis Masreliez, som vistats i Rom sedan 1773, var väl förtrogen med stadens konstliv. Han lämnar följande intressanta notis om Desprez i ett brev skrivet till målaren Adolf Ulric Wertmüller i september 1781: "Hr Desprez har slagit sig ned i Rom och blivit kompanjon till /Francesco/ Piranesi. De har påbörjat en svit av graverade vyer som har haft och förtjänar även att få den allra största framgång." Masreliez tillade samtidigt att Desprez och hans kompanjon Piranesi på detta vis ämnade ta upp konkurrensen med "radarparet" Volpato & Ducros, som redan förstått att slå mynt av turistvyer från Rom. I en serie konturetsningar, som så småningom skulle omfatta 10 olika romerska och neapolitanska vyer, hade hälften hunnit utkomma vid tiden för Desprez' avresa till Sverige 1784. (Färgbild s. 18–19)

4
FRANCESCO PIRANESI (1759–1810)
efter Desprez

Det brinnande fastlagskorset i Peterskyrkan

Akvarellerad konturetsning, 700 × 475

NMG B 445/1990

Bland motiven finner man inte bara exempel på de populära vedutorna från Rom och Pompeji. Av dessa akvarellerade konturetsningar återger två stycken religiösa ceremonier av betydenhet, dels en påvlig mässa i Capella Paolina, dels det brinnande fastlagskorset i Peterskyrkan. I synnerhet det sistnämnda motivet passade väl den romantiska tidsålderns smak för det sublima och pittoreska. På skärtorsdagen tändes varje år ett 25 fot högt kors, upphängt i triumfbågen mellan

5

**Vy av Monte Cavallo och
Quirinalpalatset, 1782**

Penna och gråsvart bläck, lavering i
grått, akvarell och gouache, 740 × 1045

NMH 25/1933

6

**Vestatemplet i Tivoli jämte Sibylla
Tiburtinas tempel**

Penna och grått bläck, lavering i grått,
akvarell, 504 × 665

NMH 256/1919

7 Vy av Tivoli

Penna och gråsvart bläck, lavering i grått, akvarell,
415 × 352, 500 × 369   NMH 46/1879, NMH 255/1919

Desprez' magnifika vy av Tivoli med Vestatemplet hö:
ursprungligen till de utsikter som Francesco Piranesi sku
gravera, något som emellertid aldrig kom att realiseras. I

vagt urskiljbara rutmönstret är troligen en rest av denna
anke. I samband med utställningen har hela vyn åter sam-
nanförts. Möjligen kan redan Desprez själv ha delat på de

två arken, som för övrigt inlemmats med 40 års mellanrum i
museets samlingar.

19

8

**Interiör från Peterskyrkan med det brinnande fastlags-
korset sett från högaltaret**

Penna och gråsvart samt brunt bläck, lavering i grått och
brunt, 213 × 310

NMH Z 4/1948

9

**Interiör från Peterskyrkan med det brinnande fastlags-
korset sett från långhuset**

Penna och gråsvart samt brunt bläck, lavering i grått och
brunt, 210 × 310

NMH Z 5/1948

Biskopsvigning förrättad av påven i okänd kyrka. Privat fransk ägo

kupolrummet och långskeppet. Vid detta tillfälle släckte man alla andra ljus kring högaltaret så att det stora fastlagskorset ensamt lyste upp kyrkorummet med sina 620 marschaller. Desprez har på ett suggestivt sätt lyckats återge det märkliga skådespelet i den jättelika kyrkointeriören. Detta är emellertid inte

Figur- och dräktstudier av kyrkliga dignitärer, däribland påven. Konstakademien

något som Piranesi förmått översätta till den färdiga konturetsningen. I stället får man studera det tiotal olika varianter och studier som Desprez utfört. Här framstår denne konstnär som överlägsen många andra samtida, inte minst genom sin förmåga att variera det kontrastrika spelet mellan ljus och skugga i kyrkans korparti.

Men medan kyrkobesökarna endast är antydda i dessa interiörer från Peterskyrkan, skulle Desprez i andra fall fångas av kostymprakten och det teatrala i de religiösa ceremonierna. Ett utmärkt exempel är den stora, pampiga akvarell som konstnären utförde under samma tid, vilken skildrar en biskopsvigning, förrättad av påven i en okänd romersk kyrka. Ett antal studier i både Nationalmuseum och Konstakademin till enskilda figurer, däribland en där påven överlämnar de episkopala insignierna, visar med vilken noggrannhet Desprez gick till väga. En miljöstudie för samma motiv i Nationalmusei samlingar understryker dessutom den betydelse konstnären lade vid arkitekturen som ett kompositionellt ramverk i bilden.

Mot slutet av hösten 1782 ansåg tydligen Desprez att det rätta ögonblicket hade kommit, då han kunde visa den kungliga arkitekturakademin i Paris sina egentliga ambitioner. På ett sammanträde den 12 november presenterade arkitekten Jean Rodolphe Perronet upp "en stor bild av Peterskyrkans inre, perspektivistiskt tecknad med vilken eleven Hr Desprez betygar Akademien sin vördnad".

Det kan därför inte ha kommit som någon överraskning för greve d'Angiviller, när akademidirektören i Rom, Lagrenée, i maj följande år meddelade att Desprez sedan två år övergivit arkitekturstudierna till förmån för måleriet. Å Desprez' vägnar bad samtidigt Lagrenée om en favör, nämligen att konstnären fick

Denna interiör från Peterskyrkan med det brinnande fastlagskorset kan möjligen vara identisk med den teckning som Desprez förärade
Akademien i november 1782. Louvren

Gustav III med uppvaktning bevistar julmässan i Peterskyrkan 1783. Detalj, jfr kat.nr 10

fortsatt tillgång till ett rum i akademins hus, Palazzo Mancini, för att han där skulle kunna fortsätta studera måleri för akademins direktör. Man kunde ha befarat att Desprez' huvudmän kände sig svikna i sina förhoppningar, sedan hela sanningen uppenbarats om konstnärens studier i Rom, men reaktionen blev den motsatta. Överintendenten, greve d'Angiviller, kände sig styrkt i sin tro på Desprez, i synnerhet sedan hans högra hand, målaren Pierre, meddelat sin syn på saken. Pierre var nämligen övertygad om att Desprez skulle lyckas bättre inom målarkonsten än inom arkitekturen. Enligt hans mening hade Desprez' verk hittills visat detta, men konstnären borde studera perspektivläran bättre "varefter han torde vinna båda ära och penningar".

På grundval av detta utlåtande kunde greve d'Angiviller utan svårighet bifalla Lagrenées anhållan och han upprepade samtidigt Pierres argument: "Jag tror faktiskt att Hr Desprez äger större begåvning för målarkonsten än för arkitekturen...". Desprez skulle även komma i åtnjutande av ett rum under två års tid, men eftersom konstnären engagerades av Gustav III 1784, utnyttjade han emellertid denna förmån endast under tolv månader.

GUSTAV III ENGAGERAR DESPREZ

På julafton 1783 hade Gustav III anlänt till Rom. Den svenske kungen reste inkognito som greve av Haga. Gustav III:s vistelse i Rom skulle bli av livsavgörande betydelse för Desprez. Greven av Haga besökte Desprez' ateljé tisdagen den 23 mars, men det mesta talar för att den franske konstnären vid detta laget redan hade blivit presenterad för Gustav III. Enligt Desprez själv hade den franske ambassadören i Rom, kardinal de Bernis, varit den som rått Gustav III att engagera konstnären. Den svenske kungen hade säkert också sett Desprez' dekor för Teatro Aliberti. Under våren 1784 blev konstnären bl.a. omskriven för en scenografi till en balett om Henrik IV, av det makabra och suggestiva slaget, något som inte kan ha undgått Gustav III.

Själv behövde den svenske kungen en kompetent kraft, som kunde utföra dekor till de historiska draman han höll på att arbeta med under resan, däribland *Drottning Kristina*. För de musikdramatiska skådespelen hade Gustav III redan försökt att engagera flera italienska sångare, men utan framgång. Han hade större tur med Desprez. Gustav III:s anbud verkade synner-

10

Gustav III bevistar julmässan i Peterskyrkan 1783

Penna och grått bläck, lavering i grått, akvarell och gouache,
635 × 1720

NMB 397

ligen lockande. Tackade Desprez ja, skulle han under
två års tid få huvudansvaret för dekorationerna vid
Kungliga Teatern i Stockholm mot en ersättning av
4800 livres per år, fri bostad samt ytterligare 150 seki-
ner i reseersättning. Frestelsen blev för stor för Des-
prez. Utan att fråga sina huvudmän om tillåtelse skrev
han den 28 april under det kontrakt som Sergel utarbe-
tat. Samma dag underrättade dock Desprez akademi-
direktören Lagrenée, som genast skrev till greve
d'Angiviller för att meddela nyheten. Den franske
överintendenten visade ännu en gång prov på sitt
oändliga tålamod och förståelse gentemot Desprez.
D'Angiviller beklagade visserligen att man i Frankrike
skulle gå miste om en stor begåvning, men han konsta-
terade samtidigt stolt att åter en av Europas furstar

valt att inkalla en *fransk* konstnär. Han gav därför sitt
tillstånd, om än i efterhand, till Desprez' svenska enga-
gemang samtidigt som han beställde två målningar för
Ludvig XVI:s räkning.

Det dröjde inte länge förrän nyheten om Desprez
var i omlopp såväl i franska som svenska konstnärs-
kretsar. För den svenske bildhuggaren Jean Baptiste
Masreliez, som var på studier i Paris 1784, berättade
målaren Peyron att Desprez nyligen rekryterats av
Gustav III. Masreliez å sin sida omnämnde denna

11 ▶

**Gustav III bevistar påskmässan i Peterskyrkan med illu-
mination av fastlagskorset**

Penna och gråsvart bläck, lavering i grått och brunt, akvarell
och gouache, 610 × 945

NMH Z 9/1963

Denna teckning kan möjligen vara densamma med det motiv
som ställdes ut på Konstakademien i Stockholm 1802. Kom-
positionen var ursprungligen tänkt att tjäna som förlaga till
en version i olja.

händelse i ett brev skrivet hem den 27 maj och som ringarna på vattnet spreds nyheten vidare i Sverige. Från den östgötska landsbygden skrev i juli prästen Johan Hesselius till den vittre superkargören och bruksägaren Johan Abraham Grill på Godegård: "Här kommer en stor Architect från Italien vid namn du Près, som är engagerad för Theatern, som det säges, för 1000 Rdr i årl/igt/ empointement."

Vid denna tid hade Desprez ännu ej lämnat Rom. Han dröjde kvar i staden för att förbereda arbetet med de två målningar som Gustav III hade beställt. Troligen hade den svenske kungen redan sett Desprez' skildringar av Peterskyrkan när han gav konstnären i uppdrag att skildra julmässan respektive det brinnande fastlagskorset. Den knappa tid som stod till buds tillät dock inte något annat än förberedande skisser samt ett förslag till komposition. Alla detaljstudier liksom kompositionsutkastet i akvarell till de bägge målningarna har bevarats. De visar att konstnären trots stor tidspress varit synnerligen inspirerad när han grep sig an uppgiften. Det vore t.o.m. frestande att påstå att Desprez aldrig senare skulle nå ett så stort mått av konstnärlig frihet och uttryckskraft som i dessa förberedande studier.

Den 24 juli 1784 lämnade Desprez Rom. I sitt sällskap hade han troligen den kvinna som han sammanlevde med sedan ett år, en viss Thérèse d'Ange, som trots sitt franskklingande namn var italienska. Sin hustru hade Desprez däremot bryskt förpassat hem år 1783 med motivering att han nu helt ville syssla med sitt konstnärliga skapande. I själva verket tycks fröken d'Ange ha varit den verkliga orsaken, för trots sitt änglalika namn, skall hon enligt uppgift helt ha lyckats förvrida huvudet på den nu 40-årige konstnären. Desprez' lagvigda hustru var dock ännu så länge ovetande om makens resa till Sverige.

DE FÖRSTA ÅREN I SVERIGE

Man vet oerhört lite om hur Desprez' första tid i Sverige gestaltade sig. Det framgår dock av det brev som konstnären skrev i början av november 1784 till sin forne beskyddare, greve d'Angiviller, att han kände sig väl mottagen. Inte minst hade Gustav III själv visat honom all tänkbar välvilja och uppskattning. Men Desprez fick först finna sig i oordnade arbetsförhållanden. Han saknade både en fungerande ateljé och en ordentlig bostad. Denna smått kaotiska situation har riksrådet Fredrik Axel von Fersen berört i sina *Historiska Skrifter:* "För att anordna en atelier och en bostad åt denne nye dekoratör, måste det gamla arsenalhuset uttömmas, och dervarande saker transporteras till Fredrikshof, i så stor hast, att en del saker

förstördes eller kommo bort; hvarefter kakelugnar och rumsindelning måste midt i vintern inrättas i arsenalshuset /Makalös/, der allt detta felades."

Gustav III gjorde det heller inte lättare för Desprez när han valde Gripsholmsteatern för uruppförandet på trettondagen 1785 då "der ej fanns någon atelier för ett dylikt arbete, ej heller nödiga apparater för deras upphängande, fördröjdes detta arbete ganska mycket" tillade von Fersen. Det var alltså under ganska primitiva förhållanden som Desprez' första verk på svensk botten tillkom. Men trots alla praktiska svårigheter och brådskan hade konstnären i god tid inrättat sig ute på Gripsholm för att ordna med dekoren. Hovmannen Magnus Stenbock d.y. har i sin dagbok antecknat hur han den 9 december 1784 besökte "Dupré + såg desseinerna till Christinas decorationer." Två veckor senare, när Stenbock följde repetitionerna, hade han gjort ett nytt besök hos "Dupré", nu i den teaterbitne hertig Karls sällskap.

Vid premiären på *Drottning Kristina* väckte Desprez' scenografi stor beundran. En viktig inspirationskälla hade varit hans illustrationsarbete för abbé de Saint-Non. Intrycken av den normandiska gotiken och det myllrande folklivet i Syditalien blandades med studier av planscherna i *Svecia Antiqua et Hodierna.* Ändå hade slutresultatet mycket litet att göra med nordisk miljö. Desprez' livliga kombinationsförmåga skapade i stället en förtrollad fantasivärld, som också hade helt andra sceniska egenskaper än den en aning stereotypa barockdekoren, som man dittills hade varit van vid i Sverige.

Trots framgången med *Drottning Kristina* var det inte alla som jublade. Inte minst gällde detta de inhemska konstnärerna och då i första hand de som kunde känna sig hotade. Till Desprez' potentiella antagonister hörde till att börja med målarna Jacob Mörck och Johann Gottlob Brusell, vilka bägge skickats utomlands för studier i dekorationsmåleri. På detta sätt hade man hoppats kunna fylla behovet av kompetenta krafter, men tydligen hade Gustav III ej funnit dem vuxna uppgiften. I synnerhet bör Brusell ha känt sig besviken, då han så sent som 1783 återvänt hem efter studier i Paris och Rom. Därför var det många bland konstnärerna som uppfattade Gustav III:s inkallande av Desprez som en trolös handling, eftersom kungen tidigare lovat att inte anta eller avlöna andra konstnärer än de som var ledamöter av Konstakademien.

12 ▶

Studie av den knäfallande påven Pius VI, detaljskiss för Påskmässan

Lavering i gråsvart, akvarell och gouache, 377 × 230
KONSTAKADEMIEN, PF 49:2

64.

Detta problem undanröjdes visserligen formellt genom Desprez' inval i akademien den 3 februari 1785, men saken blev knappast bättre för den skull. Riksrådet von Fersens sura kommentar i sina *Historiska Skrifter* visar att denna djupt rotade kulturella chauvinism ej endast omfattades av konstnärerna: "Konungen hade förvärfvat sig i Rom en artist Desprès, fransman av börden, en stor dekorationsmålare, en acqvisition i det hela onödig och mycket kostsam. Svenska operan i Stockholm hade ganska goda dekorationsmålare, infödde svenskar, ehuru de icke voro så skicklige som Desprès; de hade måhända varit lämpligare att betjena en så kallad national-theater med svenska artister i alla riktningar, än med utlänningar." Så länge Gustav III levde kunde inget på allvar hota Desprez, trots några "skärmytslingar". Efter kungens död 1792 skulle dock situationen bli en helt annan.

När Desprez anlände till Sverige sommaren 1784 hade han redan vänner i Stockholm. I Rom hade Desprez lärt känna flera unga svenska konstnärer. Till dem hörde bl.a. Adolf Ulrik Wertmüller, som studerade vid den franska akademien i Rom under åren 1774–79. En annan av Desprez' vänner bland Romsvenskarna var Louis Masreliez. I ett brev till Carl August Ehrensvärd 1782 berättar Masreliez att "Herr Desprez är angripen av yrsel, vilket icke hindrar honom att alltjämt göra vackra teckningar". Man får därför anta att den konstnärligt begåvade greven även hörde till de bekantskaper bland svenskar som Desprez gjort i Rom.

DESPREZ OCH SERGEL

Ingen av de här nämnda konstnärerna kom dock att betyda så mycket för Desprez som Johan Tobias Sergel. Det är knappast troligt, att Desprez lärt känna den svenske bildhuggaren i Rom under hösten 1777, då de bägge konstnärerna vistades samtidigt i den eviga staden. Sergel skulle emellertid bli en av Desprez' trognaste vänner alltifrån den stund då de tillsammans träffade avtalet den 28 april 1784, som gjorde den franske konstnären till Gustav III:s teaterdekoratör. Sergel spelade även en aktiv roll två år senare, när kontraktet på nytt skulle förnyas. I ett brev till Operachefen, Gustaf Mauritz Armfelt, framhöll Sergel det betydelsefulla i att en konstnär som Desprez stannade i landet p.g.a. hans stora mångsidighet som konstnär och insikter på arkitekturens område.

Utöver Gustav III fanns det säkert få som bättre förstod att uppskatta Desprez' konstnärliga genius än just Sergel. En stor del av Desprez' akvareller, ritningar och skisser i Nationalmuseum härrör för övrigt från Sergels samling. Dessa konstnärliga alster var inte

13

JOHAN TOBIAS SERGEL (1740–1814)

Louis Jean Desprez i hatt

Penna och grått samt brunt bläck, lavering i grått och brunt, 203 × 109

NMH 485/1875

Desprez ond, Desprez brydd och utan penningar, tecknad av Sergel. Nationalmuseum

14

JOHAN TOBIAS SERGEL

Fest på utevärdshuset Kräftriket

Penna och grått samt brunt bläck, lavering i grått bläck
210 × 331

NMH 624/1875

Förutom sig själv har Sergel på bildens högra halva bl.a.
återgivit Desprez och hans moitié, Charlotte Pembroch de
Salie.

bara vängåvor utan verkar också ha tillkommit på
platsen, hemma hos Sergel, i samband med olika dis-
kussioner de bägge vännerna emellan. Bl.a. tycks detta
ha gällt ett antal gemensamma projekt som t.ex.
Amortemplet på Haga.

Men Sergels uppsåt med samarbetet var inte alltid
det mest renhjärtade. I samband med intrigen kring
frågan om Gustav III-statyns uppställning på Skepps-
brokajen använde sig Sergel skickligt av den intet ont
anande Desprez som redskap för att undanmanövrera
vice stadsarkitekten Erik Palmstedt, vars förslag han
fann mediokert. På ett mycket skickligt sätt lät Sergel
plantera ut sin idé rörande arrangerandet av platsen
för Gustav III-statyn, så att det hela såg ut som om det
var kungens eget uppslag och att Desprez fungerade
som ett lydigt redskap. Några år senare redogjorde
Sergel för det verkliga händelseförloppet i ett brev till
vännen Nils Rosén von Rosenstein. Där bad han

15

JOHAN TOBIAS SERGEL

Elias Martin äter korv, Desprez stoppar i honom

Penna och brunsvart bläck, lavering i brunt, 335 × 200

NMH 552/1875

Påskrift: *E Martin eter kårf. Dèspres förvånas*

29

16
JOHAN TOBIAS SERGEL

La Despreade I

Penna och brunt bläck, lavering i brunt och grått, 197 × 332

NMH 1829/1875

Påskrift: *La Depread* (Sergels hand) jämte numrering av sce-
nerna 1–8.

denne att aldrig röja hemligheten för den franske arki-
tekten "ty Desprez vet inte om något annat än att det
var salig Konungen /Gustav III/ som gav honom idén
därtill…". Men när Desprez själv föreslog att monu-
mentet skulle flankeras av två "colonnes rostrales",
väckte detta direkt Sergels ogillande. Skulptören ansåg
nämligen att dessa egendomliga antika symboler för
sjösegrar var helt onödiga, eftersom de bara uppre-
pade monumentets själva grundidé.

Utan tvekan var Sergel den starkare parten i detta
samarbete och fick därför ofta spela rollen av Desprez'
rådgivare och promotor. Men det finns också exempel
på det motsatta förhållandet, nämligen i de fall där
Desprez betydde något i konstnärligt avseende för vän-
nen Sergel. Bl.a. talar det mesta för att den franske
konstnären var idégivare till en av Sergels få dekora-
tiva arbeten, *Ceres sökande Proserpina i underjorden.* Som
senare framgår av denna framställning hade Desprez
redan i sitt vinnande förslag till det stora Rompriset
1776 använt sig av ljusbärande genier i arkitektoniska
sammanhang.

I de bägge vännernas allmänna livssituation fanns

det mycket som skiljde sig, men en stor sak hade de
gemensamt: Sergel och Desprez levde i samvetsäkten-
skap utan sanktion från kyrkan. I ett ur social syn-
punkt strängt kontrollerat samhälle som 1700-talets
Sverige var detta något ovanligt. Hur omgivningen
uppfattade konstnärernas "fria" förhållanden framgår
av ett brev från den kunglige bibliotekarien Carl
Christoffer Gjörwell till dottern Gustafva, skrivet år
1792: "Men nu till damerna. Törs jag väl ock nämna
dem? Hvarför icke? De voro *inom* huset etablerade
mademoiseller, och med hvilka dessa herrar lefva uti
den slags medelvägen, som kallas mariage de con-
science. Herr bildhuggarens samvete hade funnit sin
moitié här på ett värdshus, en vacker och artig blon-
din, som ägde mycken värld /– – –/ Den andra damen
tillhörde Déprés. Du minnes väl, att han före sin
utresa hade ett huskors i m:lle Thérese, hvars rum han
under vistandet i London remplacerat med en liten
kaffehusnymf, en den starkaste brunett jag sett och
med en så beskaffad hårväxt, att man kan kalla det för
en bosquet bien noir et touffu. Hon är mycket yngre än
mamsell Sergell, men också mera tyst, synes icke äga
mycket geni, men mycket obéissance…". Till saken
hör att Desprez vid sin avfärd från London 1790 enle-
verat hustrun till en värdshusidkare, Mlle Charlotte
Pembroch de Salie. Denna kvinna följde sedan Des-
prez till Stockholm och förblev där konstnärens livs-
ledsagarinna fram till hans död. Sergel har förevigat
sig själv, paret Desprez jämte ett antal av konstnärs-
vännerna vid utevärdshuset Kräftriket. (Se kat. nr 14.)

17

JOHAN TOBIAS SERGEL

La Despreade II

Penna och brunt bläck, lavering i brunt, 202 × 336

NMH 1830/1875

Påskrift: numrering scenerna 9–16.

Sergel var överhuvudtaget flitig med att att i bild återge sin vän Desprez. Dels skedde detta på ett mer officiellt sätt i form av en porträttmedaljong, dels i olika karikatyrer. Med sin stora, spetsiga näsa, de mörka ögonbrynen och den vilda blicken blev den magre Desprez en tacksam fysionomi att ställa mot den fete och uppnäste landskapsmålaren Elias Martin. I karikatyren *E Martin eter kårf, Dèprez förvånas* finns alla dessa överdrifter samlade. I en annan teckning *Dèprez ond, Depres Brydd och utan penningar*, har Sergel sammanfattat konstnärens besvärliga livssituation efter Gustav III:s död. Men Sergel har till eftervärlden också lämnat en annan och mycket märkligare svit av bilder som beskriver episoder ur Desprez' liv i Sverige, troligen den första tecknade serien i vårt land. Han har nämligen skildrat Desprez i serieform, omfattande sexton små rutor och uppdelade på två olika blad. Tillkomsttiden går att bestämma till slutet av 1790-talet, då ett av bladen på baksidan har en tunn skiss till en av de illustrationer Sergel utförde år 1797 för sviten *På Lifvets Mödosamma Stråt*.

Svårare är det att identifiera och datera de händelser Sergel återger ur Desprez' liv. En delvis överkorsad underskrift på det första bladet kan man med Sergels fonetiska stavning utläsa som *La De/s/pread/e/*, dvs. en skämtsam beteckning för Desprez' väl omvittnade koleriska läggning.

Möjligen är det första bladet med åtta olika bilder ämnade att skildra fransmannens äventyr i England 1789–90. Scen nummer ett, med ett pokulerande par vid en flaska vin, anspelar eventuellt på historien om Desprez' enlevering av Charlotte Pembroch de Salie.

Av de två personerna som pucklar på varandra i de följande scenerna, går den vänstra figuren att identifiera som Desprez genom strecket Sergel satt dit för att markera konstnärens buskiga ögonbryn. Den andra kan möjligen vara skalden Thomas Thorild, som sedan 1788 vistades i den engelska metropolen. Vid ett tillfälle hade Desprez kommit i dispyt med skalden och vilt handgemäng utbrutit på offentlig lokal så att värdshusbetjäningen till slut varit tvungen att gå emellan.

Det andra bladet tycks berätta om hur Desprez återvänder med allt sitt pick och pack till Sverige under våren 1790. Vidare kan man se hur han gör Sergel sin kur. En annan scen visar hur Desprez 1791 blir kronprinsens lärare och slutligen hur han vid ett tillfälle får besök av kungen, klädd i stor hatt och cadogan, för att ej behöva bli igenkänd.

VOYAGE PITTORESQUE I FINLAND

För kanslipresidenten Gustaf Filip Creutz klappade hjärtat extra för rikets finska del, född som han var på Anjala gård. I ett brev till sin vän, den berömde fornforskaren, greve de Choiseul-Gouffier, författare till *Voyage pittoresque en Grèce*, hade Creutz beskrivit det vackra Tavastland. Nu började en annan vitter finländare, expeditionssekreteraren Carl Fredrik Fredenheim, intressera Creutz för möjligheten att ge ut en *voyage pittoresque* om Finland, allra helst som riket nyligen begåvats med den synnerligen välmeriterade Louis Jean Desprez. Creutz' kände väl till Desprez' arbete för abbé de Saint-Non, eftersom han ägde de volymer som dittills hade utkommit och därför bejakade han gärna Fredenheims förslag. Creutz skrev nu till Gustav III för att utverka kungens aktiva hjälp till projektets genomförande. I detta brev framhöll han att Björneborg, Tavastehus, Tammerfors, Hattanpää och floden Kumo var "de gynnsammaste platserna för teckningar i det stora maneret". Vidare betonade han att "det vore roligt om en *voyage pittoresque* i Tavastland genom naturens storslagenhet och majestät skulle överträffa en sådan från Neapel."

Frågan om en resa i Finland hade för Fredenheims del hastigt aktualiserats av det besök som Gustav III avsåg att göra i rikets östra del i juni månad 1785. Under kungens bortovaro skulle arbetsbördan bli väsentligt mindre i kansliet. Därför ansökte och erhöll också Fredenheim tjänstledigt under några veckor för att kunna handleda Desprez på platsen. Fredenheim

gick grundligt till väga. I Lantmäteristyrelsens arkiv lät han beställa fram kartor över sin hemstad Åbo för att demonstrera de "tjenligaste point de vues" för Desprez. Men märkligt nog följdes de inte åt på resan. Fredenheim hade ordnat med ett fartyg för Desprez' överfart, medan han själv avseglade följande dag, den 10 juni 1785.

När Fredenheim anlände tre dagar senare till Åbo fann han Desprez "som satt nu som bäst at afteckna en generelle vue af staden, på berget i den andra biskopsåkern." Men Desprez som hade haft ett år på sig i Syditalien fick denna gång nöja sig med fjorton dagar, eftersom Gustav III inte kunde undvara honom längre. Konstnären reste därför redan samma eftermiddag till Helsingfors. När Fredenheim återsåg Desprez två veckor senare kunde konstnären visa upp vyer från Tavastehus, Björneborg, Sveaborg samt framställningar av manövrar till lands och sjöss.

Konstnären återvände nu hastigt till Stockholm. På Fredenheims uttryckliga begäran hann Desprez göra ytterligare två vyer av Åbo, av vilka den sista tillkom under midsommarnatten. Följande dag avseglade Desprez till Sverige ombord på Gustav III:s lustjakt *Amadis*. Kungen behövde konstnären för all scenografi till det karusellspel som skulle äga rum ute på Drottningholm i augusti 1785. Desprez skulle därför aldrig få tillfälle att bearbeta skisserna från Finland. Redan en kort tid senare konstaterade Fredenheim att det mesta av skissmaterialet förkommit. En konturteckning av utsikten över Åbo, sedd från biskopens åker är i dag allt som återstår av Desprez' *voyage pittoresque* i Finland.

Vy av Åbo sedd från biskopsåkern blev det enda bestående resultatet av Desprez' finska "voyage pittoresque". Kungliga biblioteket

KARUSELLSPEL

Karusellspelet, med den poetiska titeln *Intagandet av den förtrollade skogen* skulle bli ett nytt prov på Desprez' skaparkraft och färdighet att snabbt få saker och ting på plats. Inte mindre än 300 personer medverkade i denna blandning av ridderliga övningar och skådespel. Handlingen hade Gustav III fritt satt samman på grundval av Tassos *Jerusalemme Liberata*. Inom loppet av en dryg månad skulle man bygga en borg och uppföra en tillfällig teaterscen, sy upp dräkter och tillverka allehanda rekvisita. "Alla arbetare i staden, under ledning av målaren Desprez, voro dervid sysselsatte dag och natt. Konungen, riddare och damer tillbringade deras dagar med repitioner och öfningar till den grad, att åtskilliga blefvo sjuka deraf."

Snart var oturen framme. Redan första dagen avbröts karusellen av ett oväder. Det skyfall som följde avslöjade obarmhärtigt allt som Desprez och hans dekorationsmålare skapat under de gångna veckorna: "Charer /vagnar/ som var superba, men /målade/ med vattenfärg som rann lika med rägnet blefvo försatta i sina forna naturliga färg. Casquer som voro förgyllda blefvo svarta, med ett ord all vår pragt /blev/ förstörd" konstaterade en av de medverkande "riddarna". De två följande dagarna fick Desprez använda

18
Skytisk krigare
Penna och brunt bläck, lavering i brunt, akvarell, 230 × 320
INSTITUT TESSIN, INV. NR 1296

för att reparera de uppkomna skadorna. På grund av fortsatt osäker väderlek kunde karusellspelet avslutas först två veckor senare.

NYTT KONTRAKT, NYA INSCENERINGAR

Under den höst som följde var Desprez helt sysselsatt med det stora arbetet med dekoren till Gustav III:s och Kellgrens nya historiska skådespel *Gustaf Wasa*. Den ovationsartade premiären ägde rum den 19 januari 1786. Desprez' vilja att medvetet spränga teaterns gränser och leka med illusionen blev än mer påtaglig i detta drama. Konstnären verkar stundtals helt ha frångått barockens symmetriskt construerade scenrum. I synnerhet gäller det den praktfulla scenen med Slottsbacken och slottet Tre Kronor i fonden. Trots att mycket av de måleriska effekterna troligen gick förlorade när Desprez' skisser skulle översättas till de färdiga scenbilderna, bländades publiken av den livliga koloriten och de hissnande perspektiven. De hade heller aldrig tidigare upplevt så täta scenväxlingar eller sett ett sådant uppbåd av statister.

Efter den exempellösa framgången med *Gustaf Wasa* kände Desprez uppenbarligen stor tillförsikt inför tanken på en fortsatt verksamhet i Sverige. Men några allvarliga försök att lära sig svenska verkar Desprez aldrig ha gjort. I så måtto liknade han sin berömde landsman Bernadotte, som långt senare skulle få en framtid som kung av Sverige. Språksvårigheterna gjorde Desprez handikappad redan från början och var troligen en grogrund för hans kommande problem. För kontakterna med omvärlden blev Desprez därför beroende av sina fransktalande vänner och medhjälpare. I Operans dekorationsateljé fanns t.ex. Brusell, som studerat i Frankrike, och Hjelm. När Desprez senare även fick ha hand om den kungliga byggenskapen, fick den unge Carl Christoffer Gjörwell fungera som mellanhand. Någon direktkontakt med hantverkarna kunde Desprez aldrig få och av detta skäl skulle han i verkligheten aldrig komma att fungera som arbetsledare, vare sig i Operans dekorationsateljé eller vid Haga.

Sommaren 1786, när Desprez' avtal med Kungliga Teatern löpte ut, verkar konstnären ha varit fylld av framtidstro, eftersom han inte drog sig för att teckna ett nytt kontrakt på ytterligare tolv år. Han hade dock försäkrat sig om ett andningshål. I avtalet stipulerades bl.a. att Desprez ägde rätt till permissioner för utlandsresor under en bestämd tid. Ännu så länge var detta mer en psykologisk fråga, eftersom konstnären var fullt sysselsatt med en rad olika uppdrag.

Hur såg då Desprez' kontakter med sitt gamla hemland eller Italien ut? Någon flitig brevskrivare var han knappast. Som redan nämnts dröjde det hela två år, innan hustrun på omvägar lyckades få reda på att maken hade fått engagemang i Sverige. Desprez' bedrägliga sätt var knappast klädsamt för honom. Sedan hustrun klagat hos Gustaf III, beslutade kungen att 100 plåtar eller 200 dlr smt skulle dras kvartalsvis av konstnärens lön och skickas som understöd till hustrun. Detta fortfor till Desprez' död.

Medan Desprez efter det inträffade ej ville ha något att skaffa med sin förskjutna hustru, var konstnären mån om kontakten med sin forne beskyddare, greve d'Angiviller. Till denne fortsatte han att skriva och rapportera om framgångarna i Sverige.

Relationerna till den forne kompanjonen Francesco Piranesi verkar relativt snart ha grumlats efter Desprez' avresa till Sverige. 1786 hade Desprez berättat för Fredenheim, att han misstrodde Piranesi och ansåg att denne behöll all förtjänst från försäljningen av de kolorerade konturetsningarna. Detta hindrade dock inte att samarbetet fortsatte under de följande åren. 1789 gav Piranesi ut motivet med Mamias grav i Pompeji och konturetsningen med den sk Pausilipos grotta så sent som 1791, alla senare akvarellerade av Desprez.

Året efter framgången med *Gustaf Wasa* gjorde Desprez inte mindre än tre nya insceneringar: Leopolds enaktsopera *Frigga*, Glucks *Armida* och Guillard-Ristell-Haeffners *Electra*. Ett gemensamt drag för alla dessa uppsättningar är den framträdande roll som Desprez' suggestiva fantasiarkitektur spelade.

KONUNGENS FÖRSTE ARKITEKT

Det var därför ingen tillfällighet att Gustav III:s teaterdekoratör även gjorde debut som hovarkitekt samma år. För Desprez var detta inget stort steg att ta. Förutom sin skolning som arkitekt hade han redan skapat en mängd tillfällighetsarkitektur i samband med olika hovfester. Det extravaganta och fantasifulla draget i denna målade och plastiska dekor måste i hög grad ha bidragit till att Gustav III hösten 1787 gav

19

Vy över Haga med det planerade s.k. Observatoriet i förgrunden

Penna och gråsvart bläck, lavering i grått, akvarell, 510×377

NMH 51/1874:89a

34

Desprez uppdraget att bli arkitekt för byggnadsarbetena vid Drottningholm och Haga. I raskt tempo levererades ritningar till olika lusthus, stallar, vaktlokaler osv. Men framförallt var Desprez sysselsatt med planerna till det nya Hagaslottet. Detta palatsbygge växte i omfattning för varje år som gick. Först lades två flygelarmar till, senare även ett stort trapphus. Med tanke på de ringa medel som stod till buds för den kungliga byggenskapen framstod hela projektet mer och mer som en utopi. Efter sex års arbete hade man bara hunnit resa grundmurarna, medan lika mycken möda ägnats åt att spränga bort ett berg som stod i vägen.

FOSTERLÄNDSKT DRAMA, EXOTISK OPERA

1788 gjorde Desprez scenografi dels till det historiska dramat *Gustaf Adolf och Ebba Brahe*, dels till operan *Cora och Alonzo*, de två sista uppsättningar som konstnären

20

Gustav Vasa, skiss till dekorelement för "Gustaf Adolf och Ebba Brahe"

Penna och brunt bläck, 206 × 165

NMH 1861/1875

ensam var ansvarig för. Lika litet som tidigare bekymrade sig Desprez för det historiska sanningskravet i miljöskildringen. Hur Kalmar slott verkligen såg ut betydde t.ex. ringa. Foucquets bronslejon och L'Archevêques *Gustaf Wasa* hörde naturligtvis inte heller hemma i det tidiga 1600-talet, men Desprez hade förälskat sig i dessa skulpturer och använde dem därför med förkärlek som dekorelement i bl.a. *Gustaf Adolf och Ebba Brahe*. Desprez tycks för övrigt ha följt samma konstnärliga frihet i två analoga fall inom arkitekturen: det Götiska tornet på Drottningholm respektive kolonnmonumentet för Haga, tillkomna vid samma tidpunkt.

Bara två månader efter premiären på *Gustaf Adolf och Ebba Brahe* kunde Stockholmspubliken se Desprez' märkliga inscenering till operan *Cora och Alonzo*. Till attraktionerna hörde bl a ett vulkanutbrott, illusoriskt framställt med hjälp terpentinindränkta pappersdekorationer. Tekniken var inte helt olik den som Desprez använt i form av transparanger vid illuminationer. Ett annat extravagant inslag var den fantasifulla arkitektur som helt framstår som Desprez' eget tankefoster utan egentligt samband med historiska förebilder, vare sig klassiska eller medeltida.

DESPREZ I LONDON

Det ryska kriget som bröt ut samma år ledde 1789 till en slags konstnärlig lågkonjunktur. Även Desprez drabbades av denna rådande situation, om man bortser från ett kort besök på krigsskådeplatsen i Finland som han gjorde under sommaren på Gustav III:s anmodan. Under kungens frånvaro passade dock Desprez på att utnyttja sin kontraktsenliga rätt till permission för att resa till London. En möjlighet till arbete hade plötsligt uppstått när the King's Theatre brann ned den 17 juni 1789. Hur konstnären nåtts av denna nyhet är ej känt. Han fick dock ett givet tillfälle att visa prov på de specialkunskaper han besatt. Under sitt besök i London samma höst och vinter hann Desprez också med att leverera ritningar till ett nytt operahus. Det är emellertid osäkert om man verkligen begagnade sig av dessa planer när teatern återuppfördes följande år. Klart är att konstnären senare lät sin elev Beskow gravera förslaget.

Medan underrättelserna är ganska sparsamma beträffande Desprez' professionella verksamhet, vet vi betydligt mer om konstnärens övriga förehavanden. Vice-direktören för de kungliga spektaklen, Niklas Edelcrantz, som höll Gustav III informerad om Desprez' aktiviteter i London, berättar bl.a. med en illa dold förtjusning om ett gräl mellan konstnären och skalden Thomas Thorild rörande det monarkiska styrelseskicket och friheten. Meningsutbytet hade ursprungligen haft en filosofisk karaktär men övergick så småningom i vilt handgemäng, där Desprez givit Thorild några slag med käppen och hotade att kasta ut honom genom fönstret. Det var först efter ingripande från betjäningen på kaféet som trätobröderna kunde skiljas åt.

Även Desprez' avresa från London i början av 1790 var förenad med dramatik. Konstnären hade vid detta tillfälle enleverat hustrun till en värdhusvärd. Allt såg ut att gå bra ända tills fartyget, med Göteborg som destination, blev liggande i hamn. Under tiden hann den bedragne maken uppenbara sig jämte två fränder. Det hela kunde lösas först sedan Desprez lovat att även de tre objudna gästerna skulle få medfölja till Göteborg.

Huruvida värdshusvärden till slut verkligen följde med till Sverige är inte känt. Hans hustru, Charlotte Pembroch de Salie hade däremot låtit sig övertalas att resa till Sverige och hon skulle också förbli konstnären trogen till hans död 1804.

MELLANSPEL I GÖTEBORG

Enligt vad Desprez uppgivit för Gustav III skulle han bara göra ett kortare uppehåll i Göteborg för att sedan resa vidare till Karlskrona. Så blev det emellertid inte. Konstnären stannade i Göteborg under närmare ett halvår. Det var bl.a. dekorationerna till en burlesk pantomim i fem akter, *Vulcani utbrott*, som höll kvar Desprez i Göteborg. Det hela slutade emellertid med fiasko och ett storgräl mellan teaterdirektören Johan Petersson och Desprez sedan oenighet uppstått rörande strykningar av olika partier. Konstnären verkar ha blivit så till den grad uppbragt att han vid ett tillfälle i en lumpbod skall ha utrustat sig med ett vapen, stormhatt och harnesk, i akt och mening att döda teaterdirektören. Desprez hann även med att bli arresterad vid ett annat tillfälle under sin sin vistelse i Göteborg. Konstnärens väl omvittnade bärsärkarlynne hade åter runnit på honom vid ett slagsmål med två drängar. Det blev rättegång, men Desprez hade inte längre tid att dröja kvar i Göteborg. Han gjorde därför en snöplig sorti och återvände till Stockholm. Något rättsligt efterspel blev det dock inte, bl.a. sedan konstnären vädjat direkt till kungen.

GUSTAV III:S DÖD OCH DESPREZ' NYA STÄLLNING

Så länge Gustav III levde var Desprez' ställning orubbad, men efter kungamordet 1792 rasade hela hans värld. Kontraktet löpte visserligen ut först sex år senare, men de sceniska uppdragen blev allt färre. Desprez tog nu i stället upp sitt måleri och fullbordade en del av den beställning på bataljscener från Gustav III:s ryska krig som han fått av kungen. Att detta dock skedde under ett slags tvång framgår av det aning mediokra resultatet. Desprez' skaparkraft hade mattats.

Desprez hade 1791 efterträtt den gamle Jean Eric Rehn som kronprinsens ritlärare. Konstnären innehade denna befattning – även sedan den unge discipeln blivit landets monark – fram till år 1795. Desprez' teckningsundervisning har efterlämnat ett preciöst dokument i form av ett rött saffianband i Nordiska Museets samlingar, innehållande 21 originalteckningar av den kunglige ritläraren och 19 kopior utförda av Gustav Adolf. Flera av motiven var hämtade från Desprez' vyer ur abbé de Saint-Nons verk såsom utsikterna från Reggio, Messina, Catania och Palermo. De bästa kopiorna som den höge lärjungen utförde vittnar om direkta influenser från mästaren. I andra fall har varken pennan eller akvarellpenseln velat lyda den kunglige eleven. När Gustav IV Adolfs egen son, kronprins Gustav (sedemera prinsen av Vasa), skulle få teckningsundervisning år 1808, rekvirerades denna volym för att tjäna som förebild.

Desprez kunde som pedagog bygga på de erfarenheter han skaffat sig som ritlärare under tio år vid Ecole Militaire i Paris. Men att handleda vuxna elever var en väsentligt annorlunda uppgift mot att undervisa minderåriga. Man kan därför tvivla på att den bitvis lynnige och temperamentsfulle konstnären var särskilt lämplig som lärare åt den känslige och inbundne Gustav Adolf. Senare visade det sig att den unge kungens intresse för sin forne teckningslärare var svalt. Gustav IV Adolf utnämnde visserligen, i likhet med fadern, Desprez till sin förste arkitekt och gjorde i november 1801 konstnären till generalagent för de sköna konsterna i Italien, men i övrigt kunde han inte påräkna något stöd från monarken. Vad tjänade alla dessa äretitlar till som Desprez fick mottaga om de inte samtidigt åtföljdes av en inkomst, konstaterade med all rätt kollegan Carl Fredrik Sundvall.

Desprez' ende beskyddare i maktens boning var överintendenten Carl Fredrik Fredenheim och denne hyste också en uppriktig vilja att hjälpa Desprez. I sina försök att få Gustav IV Adolf mer vänligt inställd till Desprez lät Fredenheim bl.a. samla ihop konstnärens alla koppartrycksplåtar för att ge kungen en inbunden

21

Gustav IV Adolfs ritbok

Rött saffianband innehållande 21 originalteckningar av Desprez samt 19 av kronprins Gustav (IV) Adolf
Penna och grått bläck, lavering i grått, akvarell, 305 × 191

NORDISKA MUSEET, INV. NR 21106

Påskrift: På pärmens insida *Ritbok för Hans Majestät Konungen af M Desprez.* Illustrationerna ovan återger t.v. Desprez' vy av Squinzano samt den kunglige lärjungens kopia t.h.

utgåva av Desprez' grafiska oeuvres. Arbetet med att trycka de ca 40 bladen utfördes av medaljgravören Lars Grandel. På Fredenheims initiativ räddades originalplåtarna, som på detta sätt så småningom införlivades med Nationalmusei samlingar. Dessutom försåg den nitiske överintendenten alla blad med påskrifter. På detta sätt är en stor del av Desprez' grafik också väl dokumenterad.

När Konstakademien valde Desprez till Louis Masreliez' efterträdare som professor i teckning i januari 1797, var detta i hög grad Fredenheims förtjänst. Efter ett år tackade Desprez emellertid nej av någon anledning. Fredenheim fick också i andra sammanhang erfara hur otacksamt det kunde vara att försöka hjälpa den impulsive och stundtals självupptagne Desprez. Det finns därför en stor portion av ironi i det epitet som Fredenheim ger konstnären i sina anteckningar – "den snälle artisten Desprez".

I samband med att Desprez' tolvåriga kontrakt skulle förnyas 1798 såg läget först ljust ut för konstnären. Det mesta talade för att Fredenheim skulle lyckas i sina ansträngningar, men utgången blev en annan, sedan Desprez' fiender bland konstnärer och ämbetsmän rustat sig. De hade framgång i sina försök att intala den sparsamme Gustav IV Adolf att det var billigare att importera scenskisser från Paris än att anlita Desprez. Kontraktet förnyades aldrig. Riksrådet von Fersen hade fått "rätt".

DE SISTA ÅREN

Sedan kontraktet gått ut hade Desprez bara ett fast uppdrag, bataljmålningarna för Drottningholm. Dessa ägnade han emellertid bara ett högst motvilligt intresse. I övrigt letade konstnären desperat efter nya försörjningsmöjligheter. När Francesco Piranesi genom Fredenheims förmedling kom med förslaget att han i Paris skulle låta gravera ett antal av svenska vedutor efter Desprez' förlagor, blev konstnären genast entusiastisk, men av någon okänd anledning rann projektet ut i sanden.

Den portugisiske envoyén i Stockholm, Ferdinand Corréa Henriques de Neronha, hade vid sin avresa 1800 förvärvat två målningar av konstnären under sken av att han senare skulle skänka dem till den portugisiske regenten. Men Desprez hade aldrig erhållit full betalning för sina verk. När Desprez senare vände sig till Corréas efterträdare och tillika namne, J.A. Corréa, visade det sig att även denne bara ville utnyttja konstnärens betryckta situation för egen vinnings skull. Några pengar såg Desprez aldrig till.

Mitt i detta elände verkar det som om Desprez i sin konstnärliga gärning alltmer sökte sig till verklighetsfrämmande ämnen. I ett brev skrivet år 1799 berättar gravören Johan Fredrik Martin för sin vän Jonas Carl Linnerhielm att Desprez' bidrag till Konstakademiens utställning detta år var en samling "Minnes Vårdar öfver Store Män". I katalogen finns inte mindre än sju olika ritningar förtecknade, varav en situationsbild i gouache återgav "Project til en Äre-byggnad, at förvara Store Mäns Minne; föreställd i perspective, såsom upförd i et med trädplantering, och monumenter, beprydt Landskap." Inga planer har bevarats som med säkerhet kan knytas till detta projekt. Emellertid har italienaren Giuseppe Acerbi, i sin reseskildring från Sverige 1798–99 lämnat följande beskrivning: "Han har nyligen komponerat en pyramid, som inte skulle kunna uppföras någon annanstans än i den Ara-

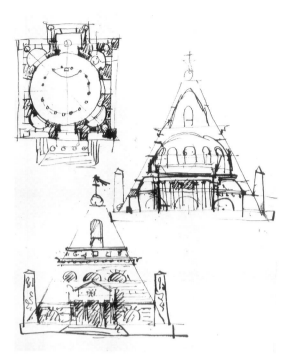

Detta utkast till en pyramid kan möjligen sättas i samband
med Desprez' projekt till en minnesvård över Stora Män.
Konstakademien

biska öknen och i vars inre statyer över världens Stora
Män skall placeras." Var detta månne Desprez' svar
på Boullées visionära arkitektur med bl.a. kenotafier
ägnade åt dyrkan av Newton? Acerbis fortsatta

beskrivning ger dock vid handen att Desprez ändå
hade ett visst avstånd till sin samtids exalterade geni-
kult: "Han medger själv att för att kunna genomföra
denna skapelse är det definitivt nödvändigt att alla
härskare sluta sig samman för att täcka kostnaderna."

De sista åren väntade Desprez förgäves på olika
uppdrag i utlandet. Ena stunden hoppades han på
ryska magnater, nästa stund på förste konsuln Napo-
leon Bonaparte. I juli 1801 anhöll Desprez hos Gustav
IV Adolf om permission för att kunna tillbringa fyra
månader i Ryssland, troligen för att arbeta för greve
Nikolaj Sjeremetiev, men konstnärens ansökan
behandlades inte ens. Reaktionen blev lika negativ,
när Desprez önskade resa till Paris i december samma
år för att på platsen uppvakta Bonaparte. Genom en
yrkesbroder, arkitekten Rolin, hade Desprez sänt ett
antal kompositioner avsedda för förste konsuln, men
åter uteblev framgången. De ständiga misslyckandena
och den ekonomiska misären blev till sist för mycket
för den hårt ansatte konstnären. I januari 1802 drab-

22

Gustav IV Adolfs inmarsch från Ladugårdsgärde
den 1 juli 1799

Penna och grått bläck, lavering i grått, akvarell, 550 × 920
STOCKHOLMS STADSMUSEUM 1322

Utsikten över Norrbro från Gustaf Adolfs torg förvärvades
1933 i samband med en auktion på det franska slottet Haze-
ville vid Magny-en-Vexin.

Desprez' komposition Alexandrias grundläggning hör till konstnärens sista arbeten. Ett flertal utkast finns i Konstakademiens samlingar

bades Desprez av ett slaganfall. Förvånansvärt snabbt repade han sig dock och ställde nu sitt hopp till kejsaren i Wien. Genom den österrikiske ministern i Stockholm, greve Loudron, sände han kejsaren två volymer. Den ena omfattade förslag till "maison de campagne", den andra innehöll "projet de théâtre dans le goût antique et moderne". Enligt Fredenheim som såg den första volymen skulle detta ha varit ett praktverk: "mycket interessante och vittnande med beskrivningar

23

Alexandrias grundläggning

Penna och grått bläck, lavering i grått, akvarell, 355 × 525

NMH 51/1874:87

om hans /Desprez'/ insikter." Tyvärr har dessa volymer ej kunnat återfinnas, vilket är att beklaga eftersom de inbundna ritningar som Desprez sände till Wien

24
JOHAN TOBIAS SERGEL

Desprez och Bellman försonas i abbé Morettis närvaro

Penna och brunt bläck, lavering i brunt, 137 × 211
PRIVAT ÄGO

skulle ha bringat klarhet på de punkter där vi saknar kunskap om konstnärens verk. Desprez hade ju nämligen kommenterat de olika planerna.

När Desprez inte hörde något från vare sig greve Loudron eller kejsaren, bad han sin forne elev, Fredrik Samuel Silfverstolpe, om hjälp. Denne var nu svensk ambassadsekreterare i Wien och lovade att bistå Desprez. Men troligen kom det aldrig något svar medan Desprez ännu var i livet. Först efter konstnärens frånfälle erhöll dödsboet 300 ducater från det kejserliga hovet som kompensation.

Desprez avled den 19 mars 1804, 60 år gammal, i sitt hem vid Hovslagaregatan, bara ett stenkast från det nuvarande Nationalmuseum. Det spreds snart ett rykte att konstnären blivit förgiftad. Enligt arkitekten Sundvall skulle den skyldige ha varit Portugals chargé d'affaire Corréa. En offentlig kungörelse anger dock "nervfeber" som dödsorsak, troligen ett recidiv av slaganfallet två år tidigare. Den 22 mars skedde jordfästningen på Jakobs kyrkogård. Någon gravsten restes aldrig.

Louis Jean Desprez var och förblev en främmande fågel i Sverige. Gustav III hade gjort det möjligt för Desprez att ägna sig åt ett intensivt konstnärligt skapande. Inom loppet av några få år på 1780-talet tillkom en rad märkliga verk som skulle revolutionera den europeiska teaterdekoren. Men Desprez hade många andra strängar på sin lyra – arkitektur – måleri – inredningskonst – grafik – något som gjorde honom till en allkonstnär i romantikens mening långt före romantikens dagar. Tyvärr blev det Desprez' öde att minnet snart skulle blekna av hans konstnärliga gärning då mycket av det som gjort honom ryktbar såsom hans teaterdekor, hans tillfällighetsarkitektur och illuminationer i grunden bestod av förgängliga material.

Desprez och abbé de Saint-Nons Voyage Pittoresque

PETRA LAMERS

Louis Jean Desprez' konstnärliga skapande fick avgörande impulser under en nästan sjuårig studietid i Italien. År 1776 hade han vunnit Prix de Rome – Rompriset – och den 15 mars året därpå erhöll han sitt diplom som officiellt tillförsäkrade honom ett treårigt stipendium för studier i Académie de France i Rom. Antagligen avreste han omedelbart till Italien, ty senast den 3 september 1777 hade han anlänt till det sedan länge hägrande målet, något som framgår av ett brev från dåvarande akademidirektören Joseph-Marie Vien. Emellertid stannade konstnären endast tre månader i den Eviga Staden, innan han under ett knappt år reste runt i Syditalien under ledning av Vivant Denon, tillsammans med konstnärerna Claude-Louis Châtelet och Jean-Augustin Renard.

Denna lilla konstnärsgrupp skulle, på uppdrag av Benjamin de Laborde, genomkorsa hela södra Italien och där teckna av de vackraste och mest betydande sevärdheterna, vilka sedan i Paris skulle publiceras i en *Voyage pittoresque ou description des Royaumes de Naples et de Sicile*, utgiven i flera band av abbé Jean-Claude Richard de Saint-Non. Härvid fick Desprez uppgiften att som arkitekt återge de viktigaste monumenten. (Redan på trettiotalet har konstnärens biograf Nils G. Wollin utförligt beskrivit hans medverkan i detta storartade projekt och presenterat hans förberedande skisser på ett sätt som inte skett med någon av de övriga konstnärerna.)

Detta arbete skulle komma att sysselsätta Desprez i nära fyra år, alltså längre än den treåriga stipendietiden, vilket framgår av akademidirektörens brev till sina överordnade i Paris. Brevväxlingen förmedlar intrycket av att Desprez' deltagande i projektet redan hade diskuterats av utgivarna av *Voyage pittoresque* och överintendenten, greve d'Angiviller. Av denna anledning skrev konstnären till denne i april 1778: "Jag tar mig friheten att skriva till Eder för att förbereda Er på min resa till Sicilien, vilken jag bett M. de la Borde att berätta för Er om, i och med att jag fick veta att han

var säker på att jag skulle resa. M. de la Borde har säkert visat Er mina arbeten, och jag hoppas att Ni kunnat bilda Er en uppfattning om min iver och mitt engagemang genom de olika studier och de framsteg som jag tycker mig ha gjort." Greve d'Angivillers svarsbrev var också det direkt ställt till Desprez: "Det äger sin riktighet att M. de la Borde talat med mig om den resa till Sicilien som Ni önskar företa, och som jag redan skrivit till M. Vien om för att Ni skulle få tillåtelse därtill…". Även om det i allmänhet behövdes en rekommendation från akademidirektören för sådana aktiviteter utanför det normala akademiprogrammet, tycks detta i Desprez' fall inte längre ha varit nödvändigt. Den tidigaste anteckningen i frågan har akademidirektören Vien gjort i januari 1778, och härav framgår, att Desprez vid denna tidpunkt redan befinner sig i Neapel för att på de Labordes uppdrag företa en resa till Sicilien och Kalabrien. Först efter ett år återvände Desprez till Rom. Under denna tid hade han av begripliga skäl knappast kunnat fullfölja sitt program som stipendiat. Även under det därpå följande året var han framför allt sysselsatt med att omsätta skisserna från Syditalienresan i färdiga förlagor för bokens gravyrer. Detta var en uppgift som han skulle arbeta med under hela stipendietiden – frånsett några arkitekturplaner som han årligen måste leverera till akademien.

Utgivaren av *Voyage pittoresque*, abbé de Saint-Non, var naturligtvis ytterst angelägen om att få förlagorna färdiga i tid, och därför hade han vänt sig till d'Angiviller och bett om en temporär befrielse för Desprez från de plikter som var förbundna med akademiens stipendium. Övertygad som att han var om projektets betydelse, efterkom överintendenten denna begäran – dock med det förbehållet att Desprez åtminstone skulle lämna in sitt årliga bidrag till akademien. Eftersom han helt och hållet var sysselsatt med *Voyage pittoresque*, hade konstnären knappast möjlighet till något intensivare studium av de romerska monumenten, något som tydligt framgår av hans år 1780 avfattade anhållan om en ettårig förlängning av stipendieupphållet: "... Herr Despres, som tillbragt större delen av tiden med att teckna för Abbé de Saint-Nons bokverk, skulle önska, att Ni täcktes bevilja honom en förlängning på ett år så att han på allvar kunde studera de i Rom befintliga arkitektoniska monumenten." D'Angiviller gjorde också denna förlängning möjlig. Detta generösa och ovanliga tillmötesgående visavi en stipendiat återspeglar den stora betydelse man fäst vid *Voyage pittoresque* och dess utgivare, men det är också att betrakta som exceptionellt för sin tid.

Tack vare de skilda överenskommelserna kan vi i dag rekonstruera projektets uppkomst, som nära sammanhänger med frågor om motivisk konception, och vidare hur medarbetarstabens sammansättning och finansiering såg ut. Det hela sammantaget ger en mycket god inblick i den lika fascinerande som komplicerade historien kring ett stort förlagsprojekt från 1700-talets slut.

ABBÉ DE SAINT-NON

Utgivaren av denna illustrerade reseskildring, abbé de Saint-Non (1727–1791), hörde i Paris till en krets av *amatörer* – skönandar – som helt ägnade sig åt studiet av de sköna konsterna. Men trots de viktiga arbetena av Louis Gimbaud och Pierre Rosenberg vet vi än i dag fortfarande ytterst litet om hans person. Efter studier i teologi och juridik erhöll Saint-Non tjänsten som underordnad diakon vid Notre-Dame för att kort därpå bekläda posten som parlamentsråd i Paris. Redan efter ett par år gav han upp denna tjänst och blev nu abbot vid benediktinerklostret i Pothières, något som tillförsäkrade honom en fast, årlig inkomst. Hösten 1759 beslöt han att resa till Italien, uppmuntrad av sin vän, greve de Caylus. Om hans tvååriga italiensejour vet vi besked, tack vare brevväxlingen mellan greve de Caylus och teatinerpatern och arkeologen Paolo Maria Paciaudi i Rom, två av 1700-talets mest bekanta antikforskare. Till vår kunskap bidrar även breven mellan den franske akademidirektören i Rom, Charles-Joseph Natoire och den dåvarande överintendenten, markis de Marigny. Speciellt viktig i sammanhanget är en utgåva av abbé de Saint-Nons reseanteckningar *Journal ou nottes sur un voiage fait en Italie*. Abbén tillbragte över ett år i Rom, där han uppmärksammades som mecenat. Särskilt gynnade blev Jean-Honoré Fragonard och Hubert Robert, i vilkas sällskap han utforskade Rom med omgivningar. Tillsammans med Robert företog han dessutom en resa till Neapel och Paestum. Med Fragonard tillbragte han sommarmånaderna 1760 i Villa d'Este i Tivoli. Det var där Fragonard utförde sina berömda

studier av den praktfulla trädgårdsarkitekturen.

På våren 1761 anträdde Saint-Non tillsammans med Fragonard återresan till Paris. Detta gav konstnären möjlighet till studier av de mest betydande samlingarna i de norditalienska städerna. Som tack för sina "omkostnader" erhöll abbén en ansenlig mängd teckningar som ingående dokumenterar italienresan.

Återkommen till Frankrike började Sain-Non intressera sig för de grafiska teknikerna och blev t.ex. en av de första att utveckla akvatintetsningen. Under följande år publicerade han ett antal serier reproduktioner av Fragonards och Hubert Roberts teckningar, som blivit bekanta under namnet *Griffonis*. Detta kan vara bakgrunden till publicerandet av *Voyage pittoresque*.

Men den omedelbara anledningen var det förslag som Benjamin de Laborde gjorde. År 1776 vände han sig till abbé de Saint-Non för att diskutera ett samarbete kring en utförlig, rikt illustrerad historia över Schweiz och Italien. Detta var ett projekt som då ännu inte hade någon motsvarighet.

Benjamin de Laborde ansågs vara en av de mest inflytelserika personerna vid Ludvig XV:s hov, där han innehade sysslan som *Premier Valet de Chambre*. Hans förmögenhet härrörde dock från posten som *Fermier général* dvs. direktör för skatteuppbörd. I Saint-Non fann han en lämplig partner som genom sina publikationer av grafik gjort sig ett namn bland italienska konstälskare. Redan i juli 1776 offentliggjorde man planerna, och i oktober samma år började de Laborde förhandla med olika grafiker. Han hade t.o.m. redan företagit en resa i Schweiz, i sällskap med målarna Perignon, Le Barbier och Châtelet vilka skulle färdigställa illustreringen av den schweiziska delen. I mars 1777 publicerades en annons i *Mercure de France* som erbjöd läsarna en subskription på "topografiska, pittoreska, fysiska, historiska, moraliska, politiska och litterära bilder från Schweiz och Italien". Verket var tänkt att omfatta sex band, ett ägnat Schweiz och fem Italien. Varje volym skulle innehålla 200 illustrationer och tillsvidare utges med sex gravyrer i månaden. Då emellertid varje enskilt band avsågs föreligga komplett inom loppet av 18 månader, blev man så småningom tvungen att höja den månatliga tilldelningen till 12 blad. Texten skulle därefter, utan särskild kostnad, levereras i slutet av varje band.

Denna annons, som av allt att döma hade de Laborde till upphovsman, återkom i juli samma år i *Mercure de France*, denna gång något förkortad. Till de ursprungliga 300–400 subskribenterna hörde medlemmarna av kungafamiljen och hovet, parlamentsledamöter och givetvis viktiga personer ur finansvärlden. Knappt en månad senare, 5 augusti 1777, slöt Benjamin de Laborde, abbé de Saint-Non och dennes broder

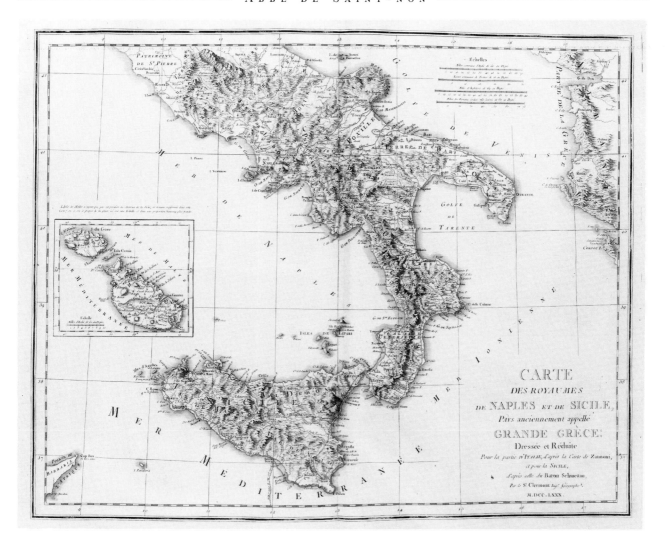

Karta över Syditalien. Ur abbé de Saint-Nons "Voyage Pittoresque", volym I, Paris 1781

Louis de la Bretèche ett avtal rörande denna publikation. I kontraktet anges i tio punkter de olika delägarnas rättigheter, uppgifter och förpliktelser. De Laborde och de båda bröderna skulle dela utgifterna och arbetet med att färdigställa publikationen. De Laborde var ansvarig för textdelen och skulle sörja för sammanställning och redigering. Saint-Non var ämnad att handha den konstnärliga delen av projektet, göra illustrationsurvalet och sörja för teckningarnas överförande till grafik. Hans broder var däremot uteslutande delaktig i finansieringen. De första utläggen härrörde från de Laborde, avseende de medverkande konstnärernas resekostnader. Saint-Non och dennes broder skulle däremot bekosta färdigställandet av teckningarna, gravörernas arbete och avgifterna till tryckarna och hade för detta ändmål hyrt lokaler i Paris. I detta *maison d'imprimerie*, kunde gravör och sättare arbeta på publikationen under Saint-Nons uppsikt och direkta medverkan.

I egenskap av ursprunglig idégivare till projektet gjorde de Laborde anspråk på manuskriptet till reseskildringarna och de nya teckningar som skulle tillkomma under Italienresan. Dessutom borde Fragonards och Hubert Roberts teckningar i Sain-Nons samling tillkomma, alltså de som skapats under Italienresan 1759–61.

I början av år 1777 utkom de första bladen till resan i Schweiz, vilka emellertid inte mötte den väntade framgången hos publiken. Därför bestämde utgivarna att, oberoende av de redan utsända bladen, publicera ett arbete enbart över Italien som ett självständigt verk. Ansvaret för utgivningen tillkom Saint-Non. Den 31 december 1777 erhöll subskribenterna meddelande om denna viktiga förändring i planerna, genom en annons i *Mercure de France*. Saint-Non hade ju redan 1759–61 besökt de viktigaste städerna i Italien tillsammans med Fragonard och Hubert Robert. De bägge konstnärernas teckningar kunde utan tvivel komma med som en del i det "samlade Italien-projektet", liksom abbéns reseanteckningar.

Saint-Non hade under sin tidigare resa ej kommit längre än till Paestum. Ett mer grundligt utforskande av södra Italien skulle däremot medföra en rad nya svårigheter. Här ställdes den resande inte minst inför en rad organisatoriska problem, då det knappast fanns några lämpliga handböcker att ta till hjälp. Bristen på uppgifter om gator och härbärgen var, liksom rädslan för överfall, en faktor som avhöll t.o.m. en så begeistrad antikforskare som Johann Joachim Winckelmann från att resa dit. Utgivarna behövde alltså i varje fall en medarbetare, som skulle få till uppgift att organisera denna komplicerade resa genom konungariket Neapel. Denne skulle dessutom anförtros ledningen av en konstnärsgrupp och författandet av en resejournal. Det blev nu den knappt 30-årige Dominique Vivant Denon, vän till Benjamin de Laborde och senare Louvrens direktör under Napoleon, som tilldelades den krävande uppgiften. Denon accepterade på det uttryckliga villkoret att han inte skulle stå som författare till resejournalen.

Vad förmådde då Saint-Non att inskränka den italienska delen av det ursprungliga så omfångsrikt planerade arbetet på "topografiska, pittoreska, fysiska, historiska, moraliska, politiska, och litterära bilder från Schweiz och Italien" till att bara omfatta Syditalien? Och när blev subskribenterna underrättade om denna förnyade ändring i planerna? "Inofficiellt" bör Saint-Non redan en kort tid efter ingånget avtal ha bestämt sig för detta steg, då färdigställandet av *Voyage pittoresque* tidigt hotades av en mängd ekonomiska svårigheter. De Laborde, som nu hade engagerat sig i ytterligare en rad dyrbara företag, hade av allt att döma utgått ifrån, att Saint-Non i och med att ha övertagit ansvaret för projektledningen för hela den italienska resan också skulle säkerställa dess finansiering. Han tycks helt och hållet ha dragit sig tillbaka från projektet för att i stället finansiera sitt eget verk, *Description de la France*. Den i avtalet stipulerade utbetalningen av ca 30.000 livres hade han fullföljt endast till en tredjedel, något som han slutligen tvingades medge under de rättsliga efterspelet till projektets finansiering, år 1778. Alla övriga kostnader föll på Saint-Non och hans bror.

Redan i samband med de första leveranserna av teckningar från konstnärerna i Italien hade illustrationsmaterialet vuxit så i omfång att man tycks ha beslutat sig för en avgränsning av ämnet till att gälla endast Syditalien. På så sätt skulle man verkligen kunna göra läsaren bekant med denna okända trakt. Beskrivningen skulle vara detaljerad, och omfatta fyra band i stället för ett.

Eftersom de Laborde också allt framgent avstod från att göra några inbetalningar, föll det på Saint-Nons och hans brors lott att inte bara avtalsenligt stå för tryckkostnaderna utan att dessutom finansiera Vivant Denons Italienresa tillsammans med de kontrakterade konstnärerna. De såg sig därför tvingade att inte längre leverera texten gratis vid slutet av varje band, något som de måste meddela subskribenterna, när dessa erhöll det andra bandet.

År 1783 krävde Saint-Non och hans bror ännu en gång de Laborde på dennes del av kostnaderna. Affären reglerades slutligen genom ett avtal i november 1783 och därmed blev brytningen mellan parterna också officiellt ett faktum. De Laborde skulle helt dra sig ur projektet för att på så sätt ge de övriga parterna möjlighet att finna en ny och mer penningstark finansiär. Ett villkor var dock, att de Laborde skulle erhålla 21 exemplar av *Voyage pittoresque*, liksom alla gravyrer och texter *avant* och *arrière la lettre*. Märkligt nog accepterade Saint-Non och hans bror detta till synes oacceptabla förslag. Härpå följde 1783 det officiella meddelandet om att de Laborde dragit sig ur det gemensamma projektet – vilket dock *de facto* skett betydligt tidigare. I samband med publiceringen av det första bandet av *Voyage pittoresque*, år 1781, hade redan Saint-Non övertagit textredigeringen, vid sidan av uppdraget att leda den konstnärliga utsmyckningen. Detta redigeringsarbete syftade till att komplettera Denons resejournal med texter av klassiska författare, såsom Plinius, Strabonius, Vergilius, Horatius och Homeros, liksom att tillfoga de senaste naturvetenskapliga och nationalekonomiska rönen, samt lärda avhandlingar av en skara associerade medarbetare.

Här hade Saint-Non endast nöjt sig med att nämna de enskilda medarbetarnas och framför allt Denons namn i notapparaten, något som visserligen var vanligt vid den här tiden, men som snart utvecklade sig till en konfliktkälla. Redan 1785 uppenbarade sig följderna. Detta år publicerades den franska utgåvan av Henry Swinburnes *Travels in the two Sicilies*, vars författare genomkorsat Syditalien samtidigt som Denon. I notapparaten till det andra bandet trycktes nämligen delar av Denons anteckningar från Sicilien, tillkomna på Saint-Nons uppdrag. Detta var en litterär skandal av första ordningen. Därtill kom något som i Saint-Nons ögon måste ha framstått som en än större förolämpning: förordet skrivet av den anonyme översättaren. Bakom denna text dolde sig ingen mindre än hans tidigare partner de Laborde. Här anklagades nu Saint-Non för att ha gjort om Denons text samt för att ha underlåtit att tacka författare och talrika medarbetare.

Vad dolde sig bakom denna intrig? Möjligen kan Vivant Denon, som tidigare velat vara anonym, trots allt ha önskat att bli nämnd som den egentlige författaren. Förmodligen hade han alltmer kommit till insikt om betydelsen av *Voyage pittoresque* och om värdet av hans eget arbete med resejournalen. Nu ville Denon få

25

Antikt ruinlandskap, ca 1782

Penna och brunt bläck, lavering i grått, akvarell
360 × 500

NMH 164/1919

Påskrift: *Després* (sekundär)

Detta pittoreska motiv av en antik ruin präglas av ett stort
mått av konstnärlig frihet. Med hjälp av olika schatteringar i
grått lyckas Desprez dessutom karaktärisera den romerska
byggnadstekniken med sitt typiska tvåfotstegel *(bipedales)*. På
pappersarkets baksida återfinns ett utkast till akademipro-
jektet till publik badanläggning från år 1782.

heder och ära av sin insats. Men troligare är dock att
de Laborde genom denna litterära skandal sökte miss-
tänkliggöra Saint-Nons framgång i förbittring över att
han som initiativtagare inte längre hade någon del i
detta prestigeladdade verk.

Den 31 december 1785 publicerade abbé de Saint-
Nons sitt svar i *Mercure de France*, där han särskilt
uppehöll sig vid de polemiska förebråelserna. Han
hänvisade till de enorma kostnader som denna rese-
skildring hade förorsakat honom, varför han ansåg sig
ha förvärvat publikationsrätten för denna. Han fann

det "varken vara särskilt sensibelt eller särskilt heder-
ligt att trycka denna journal utan vare sig hans sam-
tycke eller gillande." I efterhand framstår det som
ännu mer häpnadsväckande, att han i avtalet av 1783
hade förpliktat sig att återsända manuskriptet till de
Laborde. I förordet till femte bandet av *Voyage pittores-
que* återkom Saint-Non ännu en gång till den ovan-
nämnda förebråelsen, underströk sitt ställningsta-
gande i *Mercure de France* och gav sin egen bild av
verkets tillkomsthistoria. Ett år senare, 1781, publice-
rades sista delen av den franska utgåvan av Swinbur-
nes *Travels*. Inledningsvis lät nu de Laborde trycka
hela den samlade texten av Denon och grep samtidigt
tillfället att låta kontroversen flamma upp på nytt:
"Jag tar tillfället i akt att rättfärdiga en av mina nära
vänner genom att återställa beskrivningen av en resa
som denne företagit helt på mitt uppdrag, och som
man vanställt i tron att ha redigerat den till det
bättre." Som en sista akt i detta gräl utgavs Denons
reseskildring från Sicilien ännu en gång, 1788, i
samma skick och under upphovsmannens fullständiga
namn.

Men framgången med *Voyage pittoresque* var ett fak-
tum – trots denna obehagliga, offentliga kritik och
trots det höga priset. Hela verket kostade 550 livres.

För den samtida publiken var det fråga om "ett synnerligen nyttigt företag", och därför hade greve d'Angiviller inte heller tvekat att gå Saint-Non till mötes vid förlängnignen av Desprez' stipendietid: "Jag ansåg att M. de Labordes och abbé de Saint-Nons arbete förtjänade den största uppmuntran, ja, jag var övertygad därom" – I *Mercure de France* betonades, att utgivaren trots alla svårigheter "fullbordat färdigställandet av detta monument som tio års arbete och en oavbruten omsorg knappt förslagit till att hylla de sköna konsterna med". Också i Italien mottogs arbetet med stor entusiasm.

Detta praktverk blev snabbt berömt utanför Frankrikes gränser. Framgången avspeglar sig också i de tidiga utländska utgåvorna. Redan 1789 utkom i London en engelsk upplaga av *Voyage pittoresque*, liksom en tysk utgåva i Gotha.

I början av 1800-talet publicerades dessutom nya upplagor på franska: 1809 i Bryssel, 1829 och 1836 i Paris. Den utgivning av en faksimilupplaga som ägde rum i Neapel 1981, tvåhundra år efter det första bandets utgivande, visar – liksom de olika tvåspråkiga upplagorna av vissa av verkets delar i Italien – på verkets unika ställning i europeisk reselitteratur.

RESAN TILL SYDITALIEN

Bildningsresor i Italien hade under nyare tid fått allt större betydelse. Under 1400- och 1500-talen reste bara enstaka konstnärer i Sydeuropa. Somliga av dem kom till Rom, medan endast ett fåtal vågade resa vidare till Neapel, ty – så står att läsa i olika reseskildringar från tiden – den förhållandevis korta sträckan från Rom till Neapel gömde lika många faror som resan från Schweiz till Rom. Alltsedan 1600-talet innebar Italienresan en närmast obligatorisk fulländning av den konstnärliga utbildningen hos studenter från hela Europa, på samma sätt som *le Grand Tour* utgjorde en fast inslag eller rentav en höjdpunkt i unga aristokraters uppfostran. Vid denna tid hade resenären i allt högre grad tillgång till en detaljerad information av praktisk art, rörande resvägar, poststationer och härbärgen. Detta var dock ej fallet med Syditalien, som fortfarande, och med få undantag, undveks av de resande. Ännu i början av 1800-talet uppfattade Creuzé de Lesser situationen på följande sätt: "Europa tar slut i Neapel – och ett ganska dåligt slut för övrigt. Resten, Calabrien och Sicilien, är rena Afrika".

Mot denna bakgrund framstår utgåvan av *Voyage pittoresque* som något av en pionjärinsats. Där ingick givetvis ett texturval av antika författare som kunde bidra med bakgrundsinformation till de enskilda städernas historia. Likaså kunde den blivande resenären hoppas på att i dessa beskrivningar finna referenser till antika platser. Däremot var samtida rapporter fåtaliga och utgjordes främst av de resebrev som baron Josef Hermann Riedesel ställt till Johann Joachim Winkelmann och som publicerades första gången år 1771. Dessa kom senare att användas av Denon. Men utöver dessa återstod inte mycket av reselitteraturen från Apulien och Calabrien.

Vad beträffar Sicilien fanns en mycket mer omfattande dokumentation att tillgå, något som tydligt märks i den utförliga beskrivningen av dess städer och sevärdheter. Ett viktigt verk var John Brevals *Remarks* (1723–38) liksom Philippe d'Orvilles *Sicula* (1764) samt Patrick Brydones *A Tour through Sicily and Malta*, båda konsulterade av Denon. Han kunde emellertid inte dra nytta av de arbeten som vid samma tid utgavs av Louis-Francois Cassas, Jean-Pierre-Laurent Hoüel eller Henry Swinburne.

Vivant Denons uppgift bestod i att i samarbete med landskapsmålaren Claude-Louis Châtelet, som redan varit i Schweiz tillsammans med de Laborde, och med arkitekterna Desprez och Jean-Augustin Renard med Neapel som utgångspunkt dokumentera de mest betydande och fram till detta datum så gott som okända konst- och arkitekturmonumenten, liksom det vackra landskapet i konungariket de båda Sicilierna. Och uppenbarligen hade man framgång i sitt uppsåt att få läsarna intresserade av Italiens okända södra del. Detta gäller skildringarna av städer och monument, men framför allt den detaljerade och åskådliga beskrivningen av landskapets skönhet, liksom av de äventyrliga resevillkoren. Om de resande i Syditalien främst var rädda för banditöverfall längs reserouten, så saknades samtidigt inte tillfällen då man fick ett hjärtligt mottagande av ortsbefolkningen – trots det faktum att det fortfarande var mycket ovanligt med resande i Syditalien, något som tydligt framgår av följande beskrivning: "...man svarade oss sanningsenligt, att en främling som genomkorsade denna trakt var något så ovanligt för invånarna, att deras nyfikenhet följaktligen väcktes och att de sysselsatte sig med händelsen i flera dagar som om vore det något ytterst märkligt."

Resultatet av resan, som vid sidan av texten framför allt omfattade mer än 400 illustrationer, sammanställdes därefter av Saint-Non i fyra band.

LOUIS JEAN DESPREZ' TECKNINGAR

Desprez och Claude-Louis Châtelet utförde större delen av illustrationerna. Av dessa levererade Desprez förlagor till inte mindre än 136 gravyrer. Innan jag i det följande går igenom konstnärens enskilda illustra-

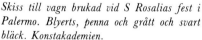

Skiss till vagn brukad vid S Rosalias fest i Palermo. Blyerts, penna och grått och svart bläck. Konstakademien.

26

S Rosalias fest i Palermo, I

Blyerts, penna och brunt bläck, lavering
i brunt
221 × 345

NMH 51/1874:18
PROVENIENS: Karl XV:s samling

tioner, är det av särskild vikt att följa hans arbetssätt. Detta gäller de olika etapperna, alltifrån den första skissen och fram till den genomarbetade förlagan, dvs. den direkta utgångspunkten för sticket. Såsom akademidirektören Vien skrev, var konstnären "alltsedan sin återkomst från Sicilien fullständigt sysselsatt med att /renrita och/ avsluta de vyer han tecknat för M. Labordes arbete, och som han bara skissat framför motivet". Under resan utförde Desprez sålunda skisser, som han i Rom senare skulle omarbeta till akvarellerade förlagor vilka skulle tjäna som utgångspunkt för gravören. Av detta material finns en stor mängd skissböcker och förstudier bevarade, vilka till stor del hamnade antingen i Nationalmusei samlingar eller i Konstakademiens ägo. De direkta förlagorna för *Voyage pittoresque* har däremot spritts och återfinns nu i flera internationella samlingar. De olika arbetsfaserna kan alltså följas i detalj på ett sätt som har få motsvarigheter hos de övriga konstnärerna.

En av skissböckerna i Konstakademien (vol 122) dokumenterar resan från Benevent till Reggio Calabria, de båda övriga volymerna (94 och 97), har tillkommit under Sicilienresan, men ger oss inte möjlighet att i detalj rekonstruera reserouten. En del av dessa skisser i blyerts och därefter överarbetade i bläck återger de typiska elementen i landskapet, i arkitekturen eller i städernas topografi. Några av bladen, mest arkitekturskisser, har försetts med rutindelning, som Desprez använde för att bibehålla de exakta proportionerna. Ofta har han med bläck redan noterat namn eller stickord som identifierar de olika motiven. Ibland har Desprez suggererat fram möjliga scener, som ska ge liv åt landskaps- eller stadsmotiv.

Skisserna återger det första, omedelbara intrycket

av händelserna. Redan i nästa fas genomgår förstudien en påtaglig förändring. Denna process kan vi följa i en grupp teckningar som tillkommit i samband med S. Rosalias fest i Palermo. I en av skissböckerna finns en dubbelsidig vy av "la porta feliche" som Desprez antecknat med bläck upptill t.h. Det är här frågan om en skiss i blyerts och bläck som återger hamnpromenaden i Palermo och dess arkitektur, men utan figurangivelser. En sida längre fram finner vi i samma skissblock en detaljstudie av den påkostade festvagnen i form av ett skepp, där statyn av den heliga Rosalia skall dras fram genom staden i samband med den årliga processionen. Till den följande etappen, förstudien, som även den utförts i blyerts innan den vidarearbetades i bläck och lavyr, valde Desprez ett större format. I allmänhet är dessa förstudier upplagda på samma sätt som skissbladen: himmelszoner, vegetation och arkitektoniska detaljer har ännu inte utarbetats, men samtidigt experimenterar konstnären i någon mån med en första anordning av figurerna, som i detta fall kommer förlagan mycket nära.

Själva förlageteckningen markerar ett nytt stadium. Här genomarbetas teckningen omsorgsfullt och detaljerat vad beträffar karakteriseringen av figurerna och de fint nyanserade schatteringarna. Vidare tillkommer färgelement. Akvarelleringen sträcker sig här från en lagd ton och fram till en kontrastrik, mångfärgad palett, som vi känner till från exempelvis Serapistemplet eller från interiören av katedralen i La Valeta på Malta.

27

27

S Rosalias fest i Palermo, II

Blyerts, penna och svart bläck, lavering i
grått, akvarell
208 × 342

NMH 1/1941

Påskrift (ej egenhändig på montering-
en): *Marche ou Procession de Char Sainte
Rosalie, et son Entrée dans La grande Rüe
Cassaro, à Palerme.*

28

**Interiör från katedralen i Palermo
under S Rosalias fest**

Blyerts, penna och brunt bläck, lavering
i brunt
301 × 160

NMH 51/1874:19
PROVENIENS: Karl XV:s samling

När det gäller bladet med S. Rosalias procession,
kom gravyren att bli spegelvänd. Några blad från den
tredje etappen är kvalitativt svagare urförda och tycks
ha tecknats snabbare. Här torde det röra sig om repli-
ker, som konstnären enligt avtal skulle utföra till sina
uppdragsgivare. Några utvalda Desprez-förlagor kom
t.o.m. att tryckas såsom linjeetsningar av Francesco
Piranesi för att därefter koloreras av Desprez, som på
detta sätt spred sina mest bekanta kompositioner. Sär-
skilt omtyckta motiv var t.ex. *Posilippos grotta, Serapis-
templet i Pozzuoli* och *Isistemplet i Pompeji* eller en ovan-
ligt dramatisk skildring av *Vesuvius' utbrott.* Sådana
akvarellerade linjeetsningar är ofta svåra att skilja från
den egentliga förlageteckningen. De känns igen på sitt

stora format och det präktiga utförandet, som främst
manifesterar sig i atmosfäriska effekter och en storar-
tad ljusbehandling.

Skissböckerna (vol. 94 och 97) samt några förstudier
användes senare av konstnären som arbetsmaterial i
Stockholm, och Desprez tvekade inte att på baksidan
av några av sina italienska skisser och förstudier nu
teckna ner arkitekturutkast. Dessa skiljer sig dock
omedelbart genom sin teckningsstil från de tidigare
bladen. Han använder sig här av en kraftigare penna
och arbetar med svart bläck vilket ger en häftig, bred
linje. Inte sällan tränger teckningen genom papperet
och skadar framsidan, som t.ex. i förstudien till *Palazzo
Reale i Palermo.*

DESPREZ I NEAPEL, APULIEN OCH KALABRIEN

Desprez' bidrag till de fyra banden av *Voyage pittoresque* har olika tyngd. För den första volymen, där läsaren – efter en historisk översikt över Neapel och Sicilien och en sammanfattande beskrivning av resan från Marseille till Neapel – förs genom vicekonungens huvudstad. Här besjunges landskapets underbara läge men för denna första del utförde Desprez endast 14 illustrationer, som med tre undantag förmedlar bilden av Neapels arkitektur. Dock är det inte fråga om ett återgivande av byggnaderna i inskränkt bemärkelse. Desprez försöker snarare ge ett intryck av arkitekturens funktion eller se den som en kuliss till det dagliga livet. Ett bra exempel på detta är bilden av domen, som konstnären har livat upp med skildringen av festligheterna kring den helige Januarius' "blodsmältning". Det är här fråga om den första teckningen av Desprez som graverades för *Voyage pittoresque*. Vi ser från långhuset in i kyrkans kor, helgat åt Neapels skyddspatron, den helige Januarius som år 305 e.Kr. hade blivit halshuggen under kejsar Diocletianus' regeringstid. Legenden berättar att en blind man, som av helgonet

29

Interiör från S Gennaro i Neapel

Penna och grått bläck, laverad i grått, akvarell

fått sin syn tillbaka, samlade upp blodet i en ampull. När liket överfördes från Pozzuoli till Neapel skall blodet på ett mirakulöst sätt åter ha blivit flytande i biskopens händer. Sedan år 1389 återkommer detta under varje år, i början av maj, den 19 september och den 16 december. Om detta mirakel inte sker, betraktas detta som en profetia om någon kommande olycka. Därför är domen i Neapel vid dessa tillfällen fylld av troende, som med böner, tillrop och extatiska åtbörder söker frambesvärja undret. På ett målande sätt skildras detta av Vivant Denon, som tillsammans med Desprez var närvarande i domen den 16 december 1777: "Under denna tid höll en präst reliken i sina händer och stödde den mot sin buk; en klerk stod bredvid honom med ett ljus i handen och skakade varje ögonblick flaskan om och om igen medan han visade folket vad som ägde rum därinne, och varje gång ökade folkets frenetiska skrik i styrka. Jag stan-

30

Messinas hamn

Penna och svart bläck, lavering i grått,
akvarell
343 × 208

LARS OLSSON, STOCKHOLM

31

Maltas hamn

Blyerts, penna och svart bläck, lavering i
grått, akvarell
217 × 342

LONDON, BRITISH MUSEUM, INV 1946.7.13.119

nade där nästan en halvtimme /---/ och jag var rädd
att spektaklet bland alla dem som omgav mig skulle få
mig att bryta samman, särskilt som en kapucinermunk
alldeles i närheten av reliken skällde ut alla de närva-
rande, fördömde deras enfald i detalj och gjorde sig till
talesman för helgonet med en energi som gav åt hans
ansikte alla de grimaser som vi känner till från Panta-
lone."

Den av Denon beskrivna händelsen översattes myc-
ket kongenialt i teckning av Desprez. Denna illustra-
tion ger oss samtidigt en tillförlitlig datering av konst-
närens vistelse i Neapel, där han alltså bör ha uppehål-
lit sig så sent som i december 1777.

Det är värt att lägga märke till att Desprez här valt
att förlägga händelsen till kyrkans kor, i stället för till
Capella del Tesoro, som enkom uppförts för reliken
under åren 1608–1637. Tydligen fann konstnären inte-
riören mot koret intressantare ur arkitektonisk syn-
punkt. I samband med ombyggnaden under barocken
hade man bevarat det gotiska lång- respektive tvär-
skeppet samt delar av den gotiska utsmyckningen, och
på så sätt uppstod en spännande kontrast mellan gam-
malt och nytt vilket konstnären förstått att utnyttja på
ett effektfullt sätt. Det framgår tydligt redan i det
första bandet, att Desprez inte bara arbetar för *Voyage
pittoresque* i egenskap av arkitekt utan även som land-
skapstecknare. Tre bilder från Torre dell'Annunziata
och Torre del Greco i närheten av Neapel påminner i
huvudsak om Châtelets arbeten, och denna typ av vyer
skulle i fortsättningen inta en betydande plats i Des-
prez' bidrag till bokverket, som t.ex. utsikten över
Messinas hamn eller vyn av *Hamnen i Malta*.

Vid sidan av de arbeten som utförts av konstnärs-
gruppen under Denons ledning kunde Saint-Non för
illustreringen av första och andra bandet också
utnyttja de teckningar av Fragonard och Hubert
Robert, som dessa redan 1760–61 utfört åt honom av
framför allt målningar i berömda napolitanska sam-
lingar. Nästan en tredjedel av volymen behandlar där-
för måleri, liksom också litteratur och musik. Det var
av denna anledning som abbén ursprungligen velat
ägna ett helt band åt måleriet, sedan han i stadens

32
FRANCESCO PIRANESI efter Desprez

Vesuvius' utbrott

Linjeetsning, laverad och akvarellerad
för hand
697 × 475
NMG 627/1874

kyrkor och palats mött en rikedom på målningar och
fresker som sökte sin like, inte bara i Italien utan i hela
Europa.

Utöver detta gjorde Saint-Non bruk av teckningar
och målningar utförda av andra än de konstnärer som
direkt engagerats av honom. Bland dessa finner vi t.ex.
Louis-François Cassas, Jean-Pierre-Laurent Hoüel
eller Claude-Joseph Vernet och Pierre-Adrien Paris
som i Paris utförde åtskilliga teckningar för abbéns
räkning. På så sätt sökte Saint-Non inte bara komplet-
tera illustrationerna till *Voyage pittoresque* utan även
höja verkets konstnärliga prestige.

Ett annat viktigt inslag är de naturhistoriska och
etnologiska avsnitten. Ett helt kapitel ägnas åt Vesu-
vius' historia. Vulkanen hade senast haft ett utbrott år
1779. Denna händelse hade inte bara givit aktualitet åt
en katastrof i forntiden utan även blivit en obehaglig
påminnelse om den skada som "den förfärliga" ännu

kunde förorsaka. Vesuvius var i sanning en källa till
sublima upplevelser för dåtidens turistströmmar men
inspirerade även konstnärerna. Fransmannen Pierre-
Jacques Volaire var en av de första att utnyttja moti-
vets bildmässiga möjligheter, och t.o.m. svensken
Alexander Roslin har utfört en skildring i samma
anda. Det är knappast förvånande, att Desprez med
sitt sinne för teatrala effekter fascinerades av temat.
Genom samarbetet med Francesco Piranesi spreds
Desprez' framställning av utbrottet 1779 i en kolorerad
linjeetsning. Här låter Desprez betraktaren ta del av
den nattliga händelsen från en hög utsiktspunkt, ovan-
för Ponte della Maddalena, och väljer ovanligt nog ett
höjdformat för sin bild. Effektfullt låter han två tredje-
delar av bildytan upptas av det nattliga utbrottet.
Gripna av panisk skräck rusar djur och människor, till
fots eller i vagnar, fram för att i all hast rädda sig i
riktning mot Neapel via den av lågor helt upplysta

33

33

Gata i Pompeji, I

Blyerts, penna och svart bläck, lavering i grått, akvarell
364 × 505

NMH 1756/1875

Påskrift (med Sergels hand): *Vue de Pompeja. par Dèprez.*
PROVENIENS: J T Sergel (Lugt 1956, nr 2339 b)

34

FRANCESCO PIRANESI (1759–1810) efter Desprez

Gata i Pompeji, II

Linjeetsning, laverad och akvarellerad
för hand
477 × 695

NMG 283/1883

Påskrift på monteringen: *Pompeja*

bron. Kompositionen drar med sig betraktaren in i
händelsernas centrum: allt rör sig direkt fram mot
honom och han kan inte dra sig undan skådespelet.
Louis Jean Desprez har med denna bild skapar en av
de mest dramatiska avbildningar av Vesuvius som
överhuvudtaget finns.

Det andra bandet ägnas Campagnan. Där koncentreras intresset på de under första hälften av 1700-talet
återupptäckta antika städerna Herculaneum och Pompeji, vilka då ännu ej till fullo blivit föremål för omfattande publikationer. Det kunglig förbudet mot avbildning i det kungliga museet i Portici övervakades fortfarande strängt, något som Denon rapporterar. I Herculaneum hade inga konstnärer ännu lyckats göra några
teckningar. I Pompeji kröntes däremot ansträngningarna med framgång, sedan man efter ihärdigt mutande
av vakterna till slut fått tillfälle att, delvis nattetid,
mäta upp och rita av byggnaderna: "Jag kan försäkra
att det var nödvändigt att inte bara med mod utan
också med fransk envishet bearbeta diverse ciceroner,
som vi slutligen fick dit vi ville. Det var så det gick till
när vi i tur och ordning fick tillgång till planer över
Isistemplet, kaserngården, teatern, det närliggande
granntemplet...", skriver Swinburne.

En stor del av Desprez' tjugo illustrationer har just
dessa pompejanska byggnader som motiv. Det handlar
i hans fall inte bara om avbildning av det befintliga
utseendet efter utgrävningarna utan också om rekonstruktioner. Detta gäller t.ex Isistemplet, kasernen och
Diomedesvillan: Desprez' teckningar utgör i själva

35

35

Isistemplet i Pompeji, I

Blyerts och rödkrita, penna och svart bläck, lavering i grått,
akvarell
505 × 690

NMH 1805/1875
PROVENIENS: J T Sergel

36
FRANCESCO PIRANESI efter Desprez

Isistemplet i Pompeji, II

Linjeetsning, laverad och akvarellerad för hand
475 × 697

NMG 438/1874

Påskrift på monteringen: *Temple d'Isis vu de face a Pompeja. Ce
vend chez Mr François Piranesi à Rome*

37
FRANCESCO PIRANESI efter Desprez

Isistemplet i Pompeji, III

Etsning och kopparstick
524 × 698

NMG 437/1874

Signerad och daterad i plåten: *Luigi Desprez delin. Cav, Fran-
cesco Piranesi incise 1788*

verket några av de tidigaste skildringarna av dessa
minnesmärken.

Till Desprez' material från Pompeji hör också hans
avbildningar av de två infarterna till staden. Det är
Via dei Sepolcri, som ligger direkt framför Porta Erco-
lanea och den därbakom anslutande Via Consularis.
Gatan förband Pompeji med Neapel och det var här
man upptäckte en av de första stora begravningsplat-
serna.

Bland de tidigare omnämnda monumenten tilldrog
sig det 1765/66 frilagda Isistemplet det kanske största
intresset. Delvis var detta beroende på den *egyptomani*
som uppkommit under 1700-talets förra hälft med
publikationer som Abbé Terassons *Sethos*. Isis tillhör
de tidigaste egyptiska gudarna, vars kult i Italien kan
påvisas alltifrån 200-talet f.Kr. Kulten utövades uteslut-
ande i helgendomarna. På gården framför det egent-
liga templet utspelades olika offentliga avsnitt av guds-
tjänsten, som exempelvis ceremonin kring morgonoff-
ret. Helgendomens viktigaste plats var det mörka
sanctuariet, där avbilden av gudinnan stod. Där offi-
cierade prästerna ofta inför lyckta dörrar, och rummet
var tillgängligt endast för de invigda. Samtidens spe-
ciella intresse för Isiskulten förmådde Desprez att,
sedan han gjort de första uppmätningarna och kart-

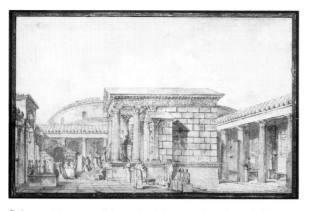

Rekonstruktionen av Isistemplet i Pompeji levandegjorde Desprez med en processionsscen. Musée des Beaux-Arts, Besançon.

läggningarna tillsammans med sin kollega Jean-Augustin Renard, även göra ett utkast till en rekonstruktion av tempelanläggningen i full funktion, inklusive en framställning av kulthandlingen.

En första teckning återger hur det faktiskt såg ut efter utgrävningen: ett antal provisoriska tak skyddar här de redan frilagda byggnaderna. I mitten, på ett högt podium, reser sig det oansenliga kultrummet, som man når via en centralt liggande trappa. Ingången till sanctuariet flankeras av två smala nischer med tak, där skulpturer ursprungligen varit placerade. I det sydöstra hörnet av gården återfinns en liten byggnad prydd med stuckreliefer, i vars nedre parti man förmodligen fövarade vatten från Nilen. Detta behövdes för initiationsriterna.

Från samma plats har även den andra teckningen utförts, men här saknas skyddstaken. Konstnären har i stället livat upp tempelområdet med en grupp eleganta besökare, som med tydlig förtjusning tar del av de olika ciceronernas utläggningar. I ytterligare en teckning har Desprez rekonstruerat tempelanläggningen, men konstnären nöjde sig ej enbart med att vara "antiquarius". Hans sceniska ådra inspirerade honom även till att dramatisera motivet. (Jfr. s. 54.) Sålunda är det lika mycket teaterkonstnären som arkitekten Desprez som kommer till tals i denna suggestiva bild av en nattlig procession. För att kunna förstärka bildens hemlighetsfulla stämning, speciellt vad gäller skuggor och ljusdunkel, använde gravören här akvatinttekniken, som ju Saint-Non själv hade utvecklat.

Det finns också andra blad, där konstnären på detta sätt gjort historiserande framställningar av antika platser. Så rekonstruerar han t.ex. i en skiss den antika staden Agrigentum som han för betraktaren levandegör genom att i bilden införa en skildring av en belägring.

Men Desprez blickar inte bara tillbaka på detta sätt utan ser även in i framtiden: i en av illustrationerna föregriper han t.o.m. händelseutvecklingen. Det var allmänt känt, att kung Ferdinand IV avsåg att transportera de antika fynden från Herculaneum och Pompeji, då utställda i det kungliga museet i Portici, till Neapel för att där visas i Palazzo degli Studi. Emellertid skulle det dröja åtskilliga år innan den för ändamålet nödvändiga ombyggnaden blev klar. Först år 1822 ägde flyttningen rum.

I sin skildring har Desprez noga följt äldre framställningar av triumftåg. Kortegevägen är kantad med en stor skara nyfikna. De arkeologiska skatterna förs här på olika vagnar fram till Palazzo degli Studi, där man har byggt upp tribuner för hedersgästerna, och förbi dessa förs nu utgrävningsfynden till sin nya bestämmelseort.

38

Rekonstruktion av det antika Agrigentum på Sicilien

Blyerts, penna och brunt bläck, lavering i brunt och grått
227 × 346

NM ANCK 69
PROVENIENS: M G Anckarswärd

39

Utgrävningsfynden från Herkulaneum transporteras från Portici till Neapel

Blyerts, penna och svart bläck, lavering i
grått, akvarell
221 × 372

PARIS, INSTITUT TESSIN, INV 1297

40

Vy över Baiae

Blyerts, penna och brunt bläck, lavering
i grått, akvarell
465 × 353

NMH 168/1919

41

Syditalienskt landskap

Blyerts, penna och brunsvart bläck, la-
vering i grått och brunt, akvarell
475×695 (bladet består av två pappers-
ark som klistrats samman)

NMH 165/1919

Efter denna första del av bandet, som helt och hållet
ägnats antiken, behandlas i det följande Neapels både
charmfulla och dramatiska landskap med de Flegre-
iska fälten, Solfatara och Pisciarelli med sina krater-
sjöar, Lago di Lucrino, Lago di Averno och Monte
Nuovo, platser som fortfarande hör till de klassiska
utflyktsmålen för varje resenär. Men med undantag för
amfiteatern och vissa gravar i Capua användes för
denna del av reseberättelsen bara förlagor av Châtelet,
Paris och Hubert Robert, dock inte av Desprez, som
utfört en rad utsökta teckningar av exempelvis Sera-
pistemplet i Pozzuoli, Lago di Averno och Baiae-
bukten.

Stort intryck gör berättelsen om resan norr om Nea-
pel, dokumenterad av Desprez. Den kortaste vägen
från Neapel till Pozzuoli gick genom Grotta di Posi-
lippo, även kallad Grotta Vecchia – en 700 meter lång
och närmare fem meter hög tunnel som skapats redan
under första århundradet f.Kr. Redan Seneca bekla-
gade sig, skräckslagen och bitter, över att behöva fär-
das i öppen vagn genom den långa och mörka passa-
gen, en känsla som Desprez till fullo har lyckats för-
medla i sin suggestiva bild.

I Pozzuoli beundrade de resande främst det s.k.
Serapistemplet, en offentlig marknadsplats, *Macellum*,
som uppförts under flavisk tid. Desprez har gjort tre
olika versioner av platsen. Det är fråga om en kvadra-
tisk gård omgiven av kolonnportiker och i vars mitt
befann sig ett brunnshus omgivet av 16 kolonner

44

42

FRANCESCO PIRANESI (1758–1810) efter Desprez

Posillipos grotta

Akvarellerad konturetsning
695 × 475

NMG A358/1956

Påskrift: *La Grotte de Pausilippe à Naples*

42

43

Serapistemplet i Pozzuoli

Blyerts, penna och svart bläck, laverad i
brunt och grått, akvarell
497 × 668

NMH 1803/1875

Påskrift (med Sergels hand): *Dèprez*
PROVENIENS: J T Sergel

44

Vy från Monte San Angelo

Blyerts, penna och svart bläck, lavering i
grått, akvarell
230 × 152

LARS OLSSON, STOCKHOLM

43

45

Interiör från domen i Salerno

Blyerts, penna och brunt bläck, lavering
i brunt
196 × 357

NMH 51/1874:47
PROVENIENS: Karl XV:s samling

ovanpå ett cirkerunt podium. Mellan kolonnerna, som
bar upp ett ringformat bjälklag, var statyer resta och i
mitten var en fontän placerad. Försäljarnas butiker låg
bakom portikerna. Först efter 1750 hade man lyckats
att fullständigt frilägga området, som i århundraden
hade skakats av jordbävningar och erosioner, och då
kunde man påbörja utgrävningen samt göra mät-
ningar. Desprez dokumenterade platsens dåvarande
utseende, men han avstod från att göra någon rekon-
struktion.

Sedan konstnärerna under ca fyra månader tecknat
och mätt upp de viktigaste monumenten i Neapel och
Campagnan, renritat teckningarna samt träffat de
nödvändiga förberedelserna för resan till södra Italien,
lämnade de våren 1778 Neapel i riktning mot ostkus-
ten. De skulle sammanlagt vara på resande fot i unge-
får nio månader. Deras resroute var i stora drag den
följande: Via Benevent och Troja anlände man först
till Apuliens ostkust. Eftersom ett av huvudmålen med
resan var de antika städerna i det stora grekiska väl-
det, for man från Lucero utmed kusten över Siponto,
Monte Sant' Angelo, Canosa och Bari till Brindisi.

Därifrån gick färden vidare till Otranto, Taranto,
Metapone, Heraclea, Sybaris, Capo della Colonne och
fram fram till Reggio Calabria, dit man anlände den 2
juni 1778 efter 55 dagars resa. Sedan fortsatte man till
Messina och följde kusten till Taormina och Catania
samt besteg Etna. Därefter tog man vägen över det
inre av landet, via Adrano, Centuripe, Agira, Leon-
forte, Enna, Alimena, Caltavuturo, Termini och
anlände slutligen till Palermo, kort före den heliga
Rosalias fest, den 15 juli. I en månad stannade grup-
pen i Siciliens huvudstad och dess omgivningar. Först
den 1 augusti lämnade man nordkkusten för att fort-
sätta färden över Sefesta, Erice, Trapani, Selinunt och
Agrigentum och till Gela. Här gick man den 4 septem-
ber ombord på ett skepp till Malta.

Slutligen anlände gruppen till fastlandet den 29
november 1778 efter ett uppehåll på Sicilien, som
varat i nära nog 6 månader, och fortsatte till Neapel
via Tropea, Cosenza, Paestum, Salerno, Nocera och
Sorrento.

För det tredje bandet, som sammanfattar hela resan
i det forna grekiska väldet, utförde Desprez samman-
lagt 49 förlagor. Däribland finns, vid sidan av några få
framställningar av arkitektur, framför allt en rad
landskapsvyer som till sin karaktär väl överrensstäm-
mer med Châtelets bilder. Den stora mängden land-
skapsbilder kan främst förklaras av det faktum, att
gruppens sökande efter berömda platser och monu-
ment från antiken ofta blev resultatlöst. Bara obetyd-
liga rester av byggnader var bevarade, som exempelvis

46

Interiör från klosterkyrkan i Monreale

Blyerts, penna och brunt bläck, lavering
i brunt
262 × 175

NMH 51/1874:21
PROVENIENS: Karl XV:s samling

Arco di Varro och Metapontes tempel, varför gruppens båda arkitekter knappast hittade några byggnadsverk att teckna av. Lämningarna från forntiden utgjordes mestadels av vaser och mynt som med stor iver insamlades och vetenskapligt bearbetades av Vivant Denon. Sin samling av vaser sålde han kort efter hemkomsten till den franske kungen. Men även om de arkeologiska fynden som man funnit längs kusten inte motsvarade gruppens förväntningar, hade det funnits större anledning att vända blickarna mot den normandiska byggnadskonsten, som just i Apulien blivit ytterst betydelsefull under kejsar Fredrik II:s tid. Märkligt nog väckte dessa minnesmärken bara i undantagsfall gruppens intresse. De uppmärksammades endast för sitt historiska värde och inte på grund av sina arkitektoniska kvaliteter. I stället uppfattade man dem som "ruiner utan karaktär", eller som "prydda utan omsorg och smak, något som utmärker alla byggnadsverk under dessa barbariska tider".

Endast några få medeltida byggnader kunde väcka Vivant Denons entusiasm, däribland S. Maria di Siponto eller det inre av katedralen i Trani – "som trots sin gotiska stil har en nobel karaktär." Däremot omnämns inte ens så viktiga byggnader som S. Niccola och domen i Bari eller katedralerna i Molfetta och Giovinazzo. Desprez däremot visade ett stort intresse för den medeltida arkitekturen. Detta framgår bl.a. av den tidigare omnämnda bilden av det inre av S. Gennaro i Neapel. Man kan även peka på den av Desprez rekonstruerade gotiska interiören av domen i Salerno, ombyggd under barocken. Andra exempel är hans avbildningar av katedralerna i Palermo och Monreale, vilka ända in i tidigt 1800-tal skulle förbli de enda kända framställningarna av dessa viktiga byggnader och som Denon inte ens nämner med ett ord. Framför allt måste den märkliga rekonstruktionen av en betydande normandisk byggnad i Salerno uppfattas som en medveten yttring av hans intresse för medeltiden. Interiören hade vid ombyggnaden helt gjorts om i barockstil med undantag av romanska detaljer som predikstol, korskrank och påskstake. I sin bild befriar Desprez byggnaden från dessa senare tillägg. Han kunde dock inte stödja sig på rester av äldre arkitektur. I sin rekonstruktion arbetar han i stället med utgångspunkt från sin kunskap om franska och apuliska medeltidsbyggnader, vilket resulterade i en ytterst trovärdig om än fiktiv arkitekturbild.

I skildringen av S. Gennaros interiör har konstnären bemödat sig om att ge ett övertygande helhetsintryck, snarare än att redovisa enskilda arkitekturdetaljer. Även i detta fall använder han arkitekturen som en teaterdekor, i vilken ett drama med en minnesfest över en malteserriddare utspelas. Den utställda skissen avviker från den graverade bilden, där konstnären framför allt har stegrat intrycket av festlighet genom att använda en rikhaltig rekvisita.

Desprez' intresse för medeltida arkitektur stärktes efter återkomsten till Rom, främst genom inflytande från den franske fornforskaren Seroux d'Agincourt. Senare, i Stockholm, återkommer denna medeltida bildvärld i en rad av konstnärens arbeten för teatern.

Av de byggnader som Denon nämner i sin reseskildring har Desprez i en skissbok i Konstakademien bl.a. avbildat kejsar Fredrik II:s fästning i Lucera, de medeltida kyrkorna i Siponte, Barletta, Canosa och Trani. De är inte framställda som renodlade arkitekturmotiv, utan konstnären har mer tagit fasta på måleriska och berättande drag. Detta var ett svar på uppdragsgivarens förväntningar och krav. Men även om Desprez i allmänhet följer de högst personliga förslag på lämpliga motiv som Denon gjort, kan man dock tydligt se klara skiljaktligheter som t.ex. i behandlingen av barockstaden Lecce, beläget på själva "stö-

47

Piazza San Oronzo i Lecce

Blyerts, penna och brunt bläck, lavering i brunt
203 × 345

NMH 51/1874:50

velklacken". Knappt kan de ha anlänt dit, förrän
Denon gav tecken till avresa: "Vi kom fram klockan
ett, & redan klockan sex började långtråkigheten
bemäktiga sig oss /---/ Denna moderna stad skulle
kunna vara en av de vackraste som överhuvud finns,
om den ej hade anlagts med ett minimun av smak
/---/ alla byggnader är överlastade av de sämsta och
mest onödiga skulpturer man kan tänka sig." Som
framgår av citatet förmådde Denon inte uppskatta den
rika barockarkitekturen i Lecce.

48

Torre di Melissa

Penna och grått och svart bläck, lave-
ring i grått, akvarell
204 × 341

LONDON, BRITISH MUSEUM, INV 1929.1.14.7

Foto: British Museum

Desprez däremot arbetade hela eftermiddagen, och
hans intresse finns dokumenterat i flera skisser och
förstudier. I en vy över torget i staden, Piazza di S.
Oronzo, har han livat upp skildringen med en folkfest.
Av allt att döma hoppades han att få med en bild av
Lecce i *Voyage pittoresque*, men utan att lyckas.

Då den medeltida arkitekturen i Syditalien inte mot-
svarade förväntningarna, inriktade man i stället intres-
set på landskapet. Det blev också den rika naturen och
det omväxlande landskapet som kom att överraska och
entusiasmera de resande: "Man måste om och om igen
säga sig att man är i Calabrien för att inte tro sig vara
vid Seines stränder eller Loires och för att göra sig av
med den idé man brukar ha om Neapel, både i Italien
och på andra håll, att detta Calabrien är ett vilt land,
öde och fattigt...", skriver Denon. Jämförelser med

49

Messinas undergång, I

Blyerts, penna och brunt bläck, laverad i
brunt
221 × 348

NMH 51/1874:53
PROVENIENS: Karl XV:s samling

50

Messinas undergång, II

Blyerts, penna och svart bläck, laverad i
grått, akvarell
570 × 930

UPPSALA UNIVERSITETSBIBLIOTEK, DAVIDSSON
NR 2113

holländska, franska och schweiziska landskap, eller
med bilder av Claude Lorrain, Poussin och Salvator
Rosa citeras för att ge läsaren ett så levande intryck
som möjligt.

Egentligen var det Châtelet som skulle skildra
landskapets särart, men även Desprez började under
resans gång alltmer teckna landskapsvyer. Om Châtelet
framförallt eftersträvade något som kan liknas vid
vidvinkeleffekt, så fokuserar Desprez i stället intresset
på enskilda detaljer, något som kan exemplifieras med
vyn över Agrigentum.

En ovanligt vacker teckning återger kuststräckan
söder om Metaponte med Melissas torn i förgrunden,
ett befästningsverk som främst hade till uppgift att
skydda ostkusten mot piratöverfall. Desprez livar upp
framställningen med några resande – kanske just
"vår" grupp – som, vilket Denon meddelar, ofta mottogs
och logerades på ett ytterst ståndsmässigt sätt.

Även i det fjärde bandet, som i två delar behandlar
resan på Sicilien, finner vi åtskilliga stadsvyer av Desprez.
I fyra blad fångar konstnären det karaktäristiska
för bebyggelsen i Messina, Catania, Palermo och
Malta. I dag har dessa vyer ett stort dokumentärt
värde, i synnerhet den över Messina. År 1783, fem år
efter Desprez' besök, jämnades nämligen staden med
marken i en jordbävning. Hans teckningar från 1778
är därför det enda vittnesbördet om hur staden såg ut
före katastrofen. I en vinjett, som Desprez i efterhand
utförde för Saint-Nons verk, skildras jordbävningen

51

Ruiner efter antika tempel i Agrigentum

Blyerts, penna och svart och brunt bläck, laverad i brunt
195 × 341

NMH 51/1874:32

Påskrift (egenhändig): *temple des geans dercule et de la concorde*
PROVENIENS: Karl XV:s samling

och stadens förstörelse. (Under sin tid i Sverige skulle
konstnären för övrigt använda sig av samma framställ-
ning för en större komposition.) Medan Denon i sin
text valde att skildra det "gamla" Messinas förnäma
bebyggelse, tog Desprez fasta på det brokiga vardagsli-
vet i sina illustrationer, såsom i vyn över hamnen med
Neptunusbrunnen och det kungliga slottet.

DESPREZ PÅ SICILIEN

På Sicilien var de antika minnesmärkena bättre beva-
rade än i Apulien och Kalabrien, konstaterade snart
resesällskapet. Detta kom också att avspegla sig i det
konstnärliga materialet.

Därtill kom att varken föreskrifter eller förbud hind-
rade gruppen i dess arbete, något som ju var fallet i
Herculaneum och Pompeji. Tvärtom fick man hjälp av
lärda storheter, såsom furstarna av Torremuzza,
Pietraperzia och Biscari, vilka alla aktivt deltog i käll-
forskning och undersökningar på platsen.

En av de viktigaste antika platserna, dagens Agri-
gentum, dokumenterade man i detalj. De tre berömda

52

Concordiatemplet i Agrigentum

Penna och brunt bläck, lavering i brunt
200 × 329

NMH 51/1874:29

Påskrift (egenhändig): *temple de la Con-
corde*

PROVENIENS: Karl XV:s samling

53

Therons grav, I

Blyerts, laverad i grått
225 × 345

NMH A 240/1971

Påskrift (egenhändig): *tombeau de teron*
Signerad på monteringen: *Despres*

54

Therons grav, II

Blyerts, penna och brunsvart bläck, lavering i rödbrunt
219 × 342

NMH 51/1874:33

Påskrift (egenhändig): *tombeau de teron*
PROVENIENS: Karl XV:s samling

templen, som låg på en brant och klippig höjd, var helgade åt Juno, Hercules och endräktens gudinna Concordia. Åtskilliga förstudier av Desprez beskriver ingående tempelområdet. I synnerhet en helhetsbild ger en god uppfattning om hur tempelanläggningen såg ut vid tiden för gruppens besök. I förgrunden ligger resterna av Jupitertemplet som störtat samman vid en jordbävning. Inte olikt ett stenbrott av enorma mått hade denna ruin alltsedan antiken väckt människors häpnad, vilket givit upphov till epitet "Giganternas tempel". I mitten av Desprez' vy reser sig en ensam kolonn från det äldsta templet, helgat åt Hercules, därbakom skymtar Concordiatemplet. Orsaken till att just denna byggnad var så väl bibehållen, ligger i det faktum att templet under Gregorius den Stores tid på 500-talet byggdes om till en kristen basilika. På så sätt förlorade byggnaden aldrig sin betydelse som kultplats och undgick därmed också ödet att bli brandskattat på dyrbart byggnadsmaterial. En interiör därifrån visar några av de medeltida ombyggnaderna, såsom t.ex. upplösningen av tempelcellans väggar i arkader.

Desprez' vy över tempelområdet återger inte landskapets topografi, eftersom han koncentrerar sig på närbilder av ruinerna och alltså tecknar från en plats mittibland dessa. Châtelet däremot återger tempeldalen från en höjd och lyckas på så sätt förmedla dess läge. Först när illustrationerna ställs intill varandra, får läsaren ett fullständigt intryck av anläggningen.

Ett annat exempel på Desprez' redan omvittnade intresse för att levandegöra antika monument och platser är Therons grav i Agrigentum. I tre olika teckningar får man en tydlig bild av konstnärens tillvägagångssätt. I en första studie skildras monumentets dåvarande tillstånd i något som närmast påminner om en romantisk stämningsbild. Intrycket uppnås framför allt genom att Desprez avstår från pennteckningen till förmån för laveringen. I en andra version har det snarare varit konstnärens ambition att rekonstruera Therons grav. Men han har samtidigt gått ett steg längre genom att dramatisera bilden med en historisk händelse: den antike härföraren Hamilkars försök att utplåna gravarna utanför staden för att hindra de fientliga trupperna från att gömma sig i dem. Men innan de lyckats i sitt uppsåt, utbröt ett oväder som vore det gudasänt och som satte stopp för deras förstörelselusta.

I den genomarbetade förlagan och i en senare komposition med samma tema har konstnären stegrat ovädrets verkan, något som får krigarna att skräckslagna ta till flykten, på ett sätt som för skildringen av Vesuvius' utbrott i tankarna. Trots bildens alla förtjänster kom den aldrig att ingå i illustrationerna till *Voyage pittoresque*.

Under den fortsatta resan tillkom en av Desprez' mest storartade bilder, som föreställer det inre av katedralen i La Valetta på Malta. Konstnären valde

55

Interiör från katedralen i Valetta på Sicilien

Penna och brunt och svart bläck, lavering i brunt, akvarell
568 × 775

NMH A 53/1973

att återge motivet från en ovanlig vinkel – från Kristi dopkapell vid sidan av högaltaret och inte som han tidigare gjort i katedralerna i Neapel, Salerno, Palermo och Monreale där utblicken mot långskeppet och koret dominerar. Konstnären skildrar kyrkan vid tiden för en högtidlig gudstjänst. I förgrunden knäfaller några ordenssystrar i enkla skrudar. Ovanför trapporna, kring altaret, utvecklas en desto större prakt: den tronande biskopen omges av malteserriddare och några höga ordensbröder. Mittemot dem står den predikande priorn under en baldakin. Desprez lyckas på ett mästerligt sätt karakterisera de enskilda figurgrupperna, deras mimik och skuggspelet i alla praktfulla mantlar och skrudar. Men också själva katedralen, känd för sin överdådiga utsmyckning, tycks ha begeistrat konstnären. I detalj återger han denna rikedom på de mest skiftande material. Här märks högaltaret, vidare gravhällarna med marmorintarsia, de kostbara

marmorbalustraderna, pulpeten av brons och den med förgyllda skulpturer dekorerade predikstolen. Och slutligen stegras prakten genom att konstnären medvetet återgivit de gobelänger efter Rubens och Poussin som brukade hänga i långskeppet, men som endast var uppe under våren, från Helga Lekamens fest och en kort tid framåt.

De här givna exemplen visar att Desprez' arbetssätt skilde sig från de övrigas i gruppen. Medan t.ex. Châtelet i sina landskapsbilder endast infogade figurer som staffage, blev de i Desprez' illustrationer viktiga element för att levandegöra de olika miljöerna, antingen det gällde att framställa historiska händelser, folkliv eller religiösa seder och bruk. Hur Isistemplet i Pompeji en gång tett sig, åskådliggjorde han genom en högtidlig offerscen. På liknande sätt livade Desprez upp bilden av hamnen i Palermo med en procession till S. Rosalia, och i Agrigentum fick en belägringscen från antiken tjäna samma syfte.

Det var emellertid inte bara Desprez' bildmässiga konception som skilde honom från de övriga konstnärerna i gruppen. Genom sitt fördomsfria intresse för de epoker som nyklassicismen förnekade – gotik och barock – blir Desprez i hög grad också en föregångare till den romantiska tidsåldern.

Översättning Ragnar von Holten, Magnus Olausson

Niclas Lafrensen dy (1737–1807). Akvarell föreställande en teatermålare stående bland kulisser. Troligen rör det sig om ett porträtt av Desprez.
Paris, Institut Tessin.

Scenografen

BARBRO STRIBOLT OCH ULF CEDERLÖF

När Desprez anlände till Sverige hösten 1784 var han en medelålders man, 41 år gammal. Bakom sig hade han, som vi sett, en lång karriär. Främst som målare, tecknare och grafiker, i mindre mån som utbildad arkitekt.

Att han under sin vistelse i Rom (sannolikt också i hemlandet Frankrike) prövat på scenografens yrke och med hjälp av enkel limfärg på simpel väv förmått skänka högst dramatiska och fängslande bakgrundsvisioner åt den dåtida teaterrepertoarens varierande utbud, framgår bäst av att Gustav III under sitt besök i Rom nästan på stående fot beslöt engagera honom som konstnärlig ledare för dekorernas utformning vid sin nya operabyggnad i Stockholm.

Ändå är det svårt att finna konkreta bevis för fransmannens samröre med teatern innan han anlände till Sverige. Om hans tidiga insatser – det gäller tiden såväl i Frankrike som i Italien – vet vi förbluffande litet. Endast ett dokument är känt som ger belägg för ett regelrätt scenografiskt engagemang vid en bestämd teater. I ett brev daterat Rom den 1 maj 1784 från Francesco Piranesi, svensk konstagent i Italien, och ställt till den blivande överintendenten Carl Fredrik Fredenheim, omnämner brevskrivaren att Desprez med stor framgång arbetade för den berömda Teatro Aliberti i Rom.

Ett annat dokument med förmodad teateranknytning är en skiss av den svenske arkitekten Erik Palmstedt (1741–1803), utförd i en av dennes romerska skissböcker 1779–80 och med påskriften *Neptuni tempel efter Despré*. Om svensken blott kopierat en teckning av Desprez eller om hans bild återgår på en reell teaterdekor av fransmannen går emellertid inte att avgöra.

Bland okända teckningar i en förrådsportfölj i Nationalmuseum återfinns även en akvarell med omisskännlig Despresk prägel. Den har en lila ton i bläcket, som är typisk för den italienska perioden, och föreställer baksidan till en romersk palatsträdgård med ett kurtiserande par. Ett strikt hållet centralperspektiv ger vid handen att den kan tänkas ha samband med teater.

När det gäller Desprez' teaterengagemang i hemlandet Frankrike är vi ännu sämre lottade; här tiger källorna helt. Men Desprez' flitige biograf Nils G. Wollin har pekat på två grafiska blad i konstnärens franska produktion, *L'isle de Cythère* och *Temple de l'Amour*, och framhållit att deras teatrala karaktär står scendekoren nära. Han utgår från att Desprez' teaterintresse – vari

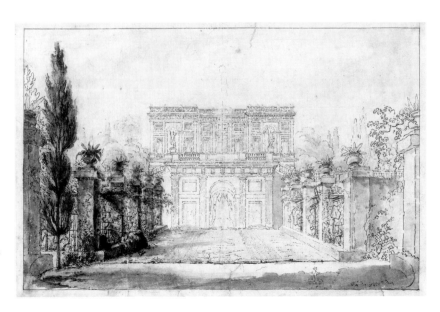

56
Romersk palatsträdgård
Penna och svart bläck, lavering i grått, akvarell
235 × 370
NMH A 3/1992

ingick en dokumenterad beundran för Voltaire – var omfattande redan under åren i hemlandet.

Det finns därför skäl att dröja något vid en anonym fransk gravyr behandlande slutscenen i Voltaires tragedi *Semiramis*, eftersom den har anknytning till Desprez på flera sätt. Det dramatiska skeendet utspelas i en scenbild som till alla delar kännetecknas av att vara praktiskt realiserbar. Gravyren har också, som Wollin framhållit, avgörande motivmässiga överensstämmelser med den svit akvareller och gouacher på Semiramis-temat Desprez utförde i Sverige omkring 1790.

Hittills har nästan undantagslöst ansetts att Desprez byggt sina kompositioner på den anonyma gravyren. Så gjorde även Wollin. Att Desprez skulle kunna vara etsningens inventor eller motivmässige upphovsman föresvävade honom aldrig. Men med avseende på arkitekturuppbyggnaden uppvisar bladet ett för Desprez synnerligen karaktäristiskt, låt oss kalla det "palladianskt" grepp.

Till yttermera visso har Desprez flitigt utnyttjat samma arkitektoniska schema i flera av sina dekorationsförslag för teaterrepertoaren i Sverige. Vi känner igen det från "Solens tempel" i *Cora och Alonzo* (kat.nr 77), från "Tempel i mitten av en öppen plats" i *Elektra* (kat.nr 71) och från "Armidas förtrollade palats" i operan *Armida* (kat.nr 70).

Det kan också tilläggas att Desprez i samband med sin grafiska gärning kom i nära samröre med arkitekter som även gjort sig kända som sceniska bildskapare. Den tretton år äldre Charles de Wailly, vilken han samarbetade med redan före 1776, är ett exempel.

Men, och det är viktigt, Gustav III måste inte nöd-vändigtvis ha sett någon scenisk framställning signerad Desprez när han engagerade honom nere i Rom 1784. Det räckte med att få sig presenterat Desprez' skisser och illustrationer till abbé de Saint-Nons stora verk om Neapel och Sicilien. Här hade Desprez inte nöjt sig med att bara avteckna de lämningar av antika och medeltida byggnadsverk han sett längs sin resväg, utan även ofta i ett andra led i en skisskedja försökt rekonstruera dem i sin forna prakt. Men inte nog med detta, han hade dessutom tagit sig före att ge vision åt de viktigaste historiska händelser som inträffat på platserna han besökt.

Utan tillstymmelse till källkritik tog han ut svängarna ordentligt, tecknade med stenografisk penna småfiguriga, myllrande människomassor som agerar i en storslagen, dramatisk miljö: Hannibals trupper som sjövägen belägrade Selinunt eller det turkiska väldets väldiga horder som under medeltiden med sabel i hand drog härjande fram längs de små italienska kuststäderna i söder, för att nu ge några exempel.

Den svenske monarken med sin utpräglade dramatiska ådra och stora vurm för Sveriges historiska förflutna måste omedelbart ha förstått att här fanns en person och själsfrände som hade fantasi nog att ge vision och gestalt åt de dramer och drömmar han hyste för sitt nya operahus i Stockholm.

Med sin skulptör Johan Tobias Sergel (1740–1814) som mellanhand inledde Gustav III förhandlingar med Desprez, vilka den 28 april 1784 ledde till att fransmannen satte sitt namn på ett papper som förband honom att mot 4.800 livres om året, fri bostad och 150 sekiner i reseersättning förestå arbetet med

Illustration till Voltaires tragedi "Semiramis". Etsning av anonym gravör

57 ▶

Illustration till Voltaires tragedi "Semiramis"

Gouache
870 × 570

PARIS, INSTITUT TESSIN (LUNDBERG 314)

dekorationerna vid Operan i Stockholm. Kontraktet löpte till att börja med på två år.

Tre månader senare, lördagen den 24 juli, tog Desprez farväl av Rom och det Italien som hyst honom i sju år för att gå ett ovisst öde till mötes i ett land han visste föga om.

DE FÖRSTA ÅREN I SVERIGE

När Desprez anlände till Stockholm hösten 1784 hade Adelcrantz' nya operahus varit i bruk i två år. Dekormålarverkstaden var belägen i ett utrymme bakom entréfasadens attika. Där var trångt och redan före Desprez' ankomst hade kompletterande utrymme för målarateljéerna annekterats i Magnus Gabriel De la Gardies gamla palats Makalös, som under 1700-talet kommit att tjäna som arsenal.

I den gamla 1600-talsbyggnaden fick också Desprez en ateljé och under de första åren var han granne med dekorationsmålarna Mörck och Lindman. I längan utmed Arsenalsgården låg även Desprez' privata tjänstebostad om fyra rum i fil med kök. Här var han bosatt fram till 1798, då ekonomiskt trångmål tvang honom att flytta till en betydligt mer anspråkslös bostad vid Hovslagaregatan på Blasieholmen.

Det var ingen lätt tid som de första åren väntade den temperamentsfulle och eldfängde Desprez i Sverige. Oaktat att det var kungen själv som kallat in honom för att teaterdekorationerna skulle få en högre konstnärlig kvalitet, möttes han av avundsjuka och småsinthet bland sina svenska kolleger. Bland annat pekade man på en klausul Gustav III själv skrivit under, att varken anta eller avlöna vid hovet andra konstnärer än dem som var ledamöter vid den svenska konstakademien. Saken ordnades emellertid så att överintendenten Carl Fredrik Adelcrantz (1716–96) vid Akademiens allmänna sammanträde den 3 februari 1785 föreslog fransmannens inval.

När Desprez började sin gärning i Operans målarverkstad var hans granne i Arsenalen, Jacob Mörck (1748–87), ännu i aktiv tjänst. Han var en habil perspektivmålare som 1775 fått tjänst hos änkedrottning Lovisa Ulrika och året efter anställts som dekorationsmålare vid Kungliga teatern. År 1780 hade han på kungligt uppdrag studerat teatermåleri i Paris, men 1786 löpte hans kontrakt med Operan i Stockholm ut.

Om Desprez' andre granne, Johan eller Jean Fredrik Lindman, är inte mycket känt. Inte annat än att han dog omkring 1802 och under fem år på 1770-talet tycks ha vistats utomlands för att studera måleri, mestadels i Frankrike. Förmodligen var han anställd direkt av Mörck och slutade samtidigt med denne. I det bevarade inventariet över "Stora operans" scende-

korationer ingår en fond som kallas *Lindmans palais*, vilken första gången användes i samband med uppförandet av *Iphigenia i Tauriden* 1783. Antagligen var det den okände Lindman som genom att ha målat dekoren också fått ge namn åt den. Förlagan var egentligen utförd av den parisiske arkitekten och scenografen Jean Demosthène Dugourc (1749–1825). Denne hade på Gustav III:s uppdrag levererat ett antal dekorförslag för de Gluckoperor som uppfördes i Sverige i början av 1780-talet.

Sedan 1781 arbetade också Johan Gottlob Brusell och Johan Zelander (1753–1814) vid Operan. Dessa båda målare skulle komma att förbli Desprez' ständiga och närmaste medarbetare under hela hans tid som direktör och oinskränkt ledare för de kungliga teatrarnas dekorationsverkstäder.

Brusell (1756–1829) var blott åtta år yngre än Mörck och efterträdde honom som förste dekormålare och praktisk föreståndare för Operans dekorationsverkstad 1786. I början av 1780-talet fick han en studieresa bekostad till Frankrike och Italien för att hans talanger skulle utvecklas och han framöver skulle kunna bli mer än en reproducerande teatermålare. Vintern 1780–81 strålade han bland annat samman med den ivrige antikanhängaren Carl August Ehrensvärd (1745–1800) nere i Neapel och kunde ta del av dennes utläggningar om antikens företräden framför modernare tiders konst.

Men det var inte mycket av detta som fastnade hos honom. Såsom snävt inriktad ämbetsmålare var han van att imitera och kopiera. Klenare beställt var det med den egna fantasin och initiativförmågan. Belysande är en anekdot C A Adlersparre återgivit i sina *Anteckningar om bortgångne samtida* (Stockholm 1862):

> ... där stod Brusell i sitt anletes svett sysselsatt med en fondmålning, förmodligen av klen beskaffning. *Desprez aktade inte för godt att härå göra anmärkningar eller rättelser, utan tog en af dessa dammborstliknande penslar, hvilka begagnas för stora ytors anstrykning, skuffade omkull ett färgämbar öfver fonden och började med väldiga drag utplåna det långt lidna arbetet under det han helt lugnt upprepade:* "Sacrifice au bon gôut, monsieur, sacrifice au bon gôut". *Och som han utplånade detta Brusells verk, så har allt vad denne i egenskap af sjelfständig konstnär frambringat, blifvit under det desprezska tidskiftet antingen öfvermålat eller ock dunstat bort för glömskans kalla fläkt.*

Det första stora prov Desprez utsattes för i Sverige gällde dekorationerna till *Drottning Christina*. Ett historiskt drama i fyra akter författat av skalden Johan Henrik Kellgren efter Gustav III:s utkast. Men premiären förlades inte till Operan utan ägde rum trettondagen 1785 ute på den av Erik Palmstedt moderniserade teatern vid Gripsholm. Det har spekulerats i att

monarken medvetet valt denna undanskymda scen för att inte i onödan väcka illvilja hos Desprez' svenska konkurrenter, men också i att han i valet av detta nationella ämne – i mycket en hyllning åt Gustav II Adolf – velat pröva fransmannens lyhördhet och konstnärliga anpassningsförmåga i en trängre hovkrets.

Resultatet blev emellertid synnerligen framgångsrikt. I akvarell och täckfärg utförde Desprez förlagorna såsom små gnistrande juvelsmycken och transponerade sedan egenhändigt över dem med limfärg på kulissväven. Fond och kulisser till första akten finns ännu bevarade i intakt skick ute på sin ursprungliga plats.

Första aktens första scenbild är lokaliserad till *Delagardies Trädgård, nu varande Kungs-Trädgården, tillredd för en Högtid, som han ämnat Drottningen*. I Desprez' förgrund uppträder Kristina själv flankerad av sin gunstling Magnus Gabriel De la Gardie till höger. Sinnrikt klippta häckar och böljande lövmassor, tänkta som separata sidokulisser och sufitter, sluter upptill och vid sidorna kompositionen.

I bildens bakgrund tornar De la Gardies palats Makalös upp sig som en väldig krokan bakom en majestätisk vattenkonst, festligt belyst av tusentals fladdrande ljuskäglor. Från det runda tornets platta

58

De la Gardies trädgård, scenbild till "Drottning Christina", akt I, scen 1

Penna och svart bläck, lavering i grått, akvarell, förhöjningar med täckvitt
268 × 375

NMH 1760/1875
PROVENIENS: J T Sergel (Lugt 1956, nr 2339 b)

krön formas i koncentriska cirklar det lilla svenska riksvapnet – de tre kronorna.

Man förvånas emellertid över med vilken frihet Desprez handskas med det historiska materialet. Någon historisk autencitet strävade han inte efter, trots att han hade sin bostad och verkstad inrymda i De la Gardies makalösa tegelborg nere vid Strömmen.

En djupblå himlapäll välver sig över hans Stockholm, där den gamla flagnande Arsenalen transformerats till ett sagoslott uppbyggt av gotiska och moriska kolonnader och olika minnesfragment från åren i Italien. Endast tornet till slottet Tre Kronor, till höger i bilden, lokaliserar miljön till Sverige, även om den gamla kungaborgen placerats vid foten av sicilianska bergsluttningar.

Andra scenen i första akten, där drottningen i scen-anvisningen ger tecken åt De la Gardie att börja festen och *en Quadrille af Herdar och Herdinnor kommer först att omgifva henne*, varierar den första. Sidokulissernas bos-kéer har dock bytts ut och ersatts av arkadformade spaljéer.

Granskar man scenbilden vidare i detalj noterar man att Desprez styrt ut balettruppens medlemmar i slaviska eller turkiska kostymeringar. Männen bär fez,

59

Drottningen ger De la Gardie order att börja festen, scenbild till "Drott-ning Christina", akt I, scen 2

Penna och svart bläck, lavering i grått, akvarell, förhöjningar med vitt
275 × 377

NMH 154/1891
PROVENIENS: Chr Eichhorn

Teckningen har färgats svart på baksi-dan och bär på framsidan spår efter för-djupningar i konturerna, vilket visar att den använts för att överföra motivet till en grafisk tryckplåt.

60

Kostymbilder till baletten i "Drott-ning Christina", akt I, scen 2

Penna och svart bläck, lavering i grått, akvarell
180 × 310

NMH 120/1919:5
PROVENIENS: Rosersberg

Ytterligare en variant med livligare pla-stik hos gestalterna finns i Nationalmu-seum (NMH 120/1919:7)

Slottskapellets förstuga, scenbild till "Drottning Christina", akt III. Laverad pennteckning. Stiftelsen för Musikkulturens främjande

korta jackor och blå puffbyxor. Kvinnorna stärkta, vita huvudbonader, korta tunikor och långa kjortlar.

Av en händelse har i en inklistringsvolym från Rosersberg dykt upp två teckningar av Desprez med akvarellerade figurer, vilka både vad gäller utseendet och koreografin närmast är identiska med scenbildens staffagefigurer. Formatet de utförts i är dock alltför litet för att det ska kunna röra sig om direkta kostymförslag, men någon anknytning till baletten i fråga måste rimligtvis finnas.

För pjäsens övriga akter och olika scener finns endast ett förslag bevarat, som möjligen kan vara original. Det återger Slottskapellets förstuga till tredje aktens fjärde scen. Samma scen som Desprez för övrigt senare utförde i linjeetsning. Det är ett monumentalt rum han med fiktionens och illusionens hjälp skapat åt betraktaren. Det öppnar sig med valv och bågar mot Slottskapellet i fonden. Arkitekturen är sammansatt av olika element lånade från antik och medeltida byggnadskonst. Per Bjurström har spårat influenser från syditaliensk kyrkokonst – från domen i Palermo.

Att den sceniska utstyrsel Desprez bestod uppsättningen av *Drottning Christina* med ute på Gripsholm julen 1785 väckte beundran och hänförelse bland den kräsna hovpubliken, framgår av att han som sagt lät gravera och akvarellera styckets båda scenbilder. Bladen dedicerade han påpassligt till den som snart skulle bli hans närmaste chef, Gustav III:s gunstling Gustaf Mauritz Armfelt, när denne gifte sig med en De la Gardie ute på Drottningholm den 7 augusti 1785.

Armfelt, som stammade från andra sidan Bottenhavet och som han kände sedan åren i Rom, tycks också ha spelat en viss roll för att Desprez' namn kom på tal i samband med att kungen planerade en resa till Finland sommaren 1785. Tanken var väl närmast att utnyttja honom i ett sammanhang som påminde om Saint-Nons *Voyage Pittoresque*. Kontakt togs med den litterärt och konstnärligt fint bevandrade konseljpresidenten Gustav Filip Creutz, som föreslog att resan skulle sträcka sig från Åbo mot Björneborg och längs Kumo älv till Tammerfors och vidare ned till Tavastehus. Han menade att dessa platser var bäst lämpade att avrita i grandios stil.

Resultatet av resan till östra rikshalvan blev emellertid skäligen magert. När Desprez vid mitten av sommaren återvände till Stockholm hade han bara hunnit med en utsikt över Åbo stad samt några numera försvunna teckningar från finska landsbygden.

61

Fängelsehåla på slottet Tre Kronor, scenbild till "Gustaf Wasa", akt I, scen 1

Blyerts, penna och svart bläck, lavering i grått och svart, akvarell, förhöjningar med täckvitt
605 × 783

NMH 1867/1924
PROVENIENS: Karl XV:s samling

Teckningen bär spår av punkteringar som hjälp vid perspektivdragningarna

Men knappt hade han mer än stigit iland vid Skeppsbron förrän han på kunglig order fick andra beställningar som omedelbart skulle effektueras. Det gällde bland annat att skapa den rätta, festliga inramningen kring det karusellspel monarken ämnade hedra Armfelt med vid giftermålet ute på Drottningholm i augusti.

Men den egentliga och allt annat utplånande uppgiften blev efter hemkomsten att komponera dekorationerna till operan *Gustaf Wasa*. Gustav III identifierade sig med denne kraftfulle renässansfurste och dynastiske grundläggare av riket och ville i många sammanhang gärna framstå såsom hans like och naturlige arvtagare.

Ända sedan revolutionen 1772 hade han umgåtts med planer på att dramatisera valda episoder ur monarkens liv. Men ämnet var inte nytt. Det hade redan behandlats i en italienska opera och två franska tragedier. Dessutom hade i Sverige en M von Brahm skrivit ett drama i tre akter och en hovpredikant Fant författat utkastet till ännu ett. Men Gustav III var inte nöjd med resultaten. Förmodligen därför att de inte tillräckligt väl stämde överens med hans egna syften och politiska ambitioner. Han beslöt därför att själv författa en text, som poeten Kellgren 1782 fick nöjet att överföra till vers. Musiken uppdrogs åt den 1777 inkallade tyske tonsättaren Johann Gottlieb Naumann att komponera. Den prestigeladdade premiären ägde rum mitt i vintern, den 19 januari 1786 på Operan.

Även engagerandet av Desprez nere i Rom 1784 var förmodligen direkt knutet till denna uppsättning i Stockholm. Kontraktstiden på två år i Sverige förefaller ha varit noga avpassad för att han i tid skulle hinna färdigställa dekorerna. Det var tre akter med ett otal scener samt hela uppsättningar av kostymer han skulle leverera förlagor till, innan han hade möjlighet att lämna landet. Därtill kom att kungen ofta kunde vara nyckfull och hade en ovana att ständigt avbryta sin scenograf med helt andra göromål.

Handlingen i dramat tilldrar sig vid tiden för danske kung Kristian II:s belägring av Stockholm i början av 1520-talet. Blodbadet på Stortorget i Gamla stan har redan ägt rum och de avrättade ståndspersonernas kvinnor och barn hålls i fängsligt förvar på slottet Tre Kronor. Men hjälp är på väg i form av den unge ädlingen Gustav Vasa.

Upptakten för oss direkt ner till de djupa, gråstens-murade källarvalv det sena 1700-talet och förromanti-ken fascinerades av och som fått sitt mest monumen-tala uttryck i italienaren Piranesis etsningssvit *Carceri.* Här nere under den gamla kungaborgen för Kristians råbarkade knektar ett hårt regemente bland de värn-lösa änkorna och faderlösa barnen. Enligt scenanvis-ningen ska detta underjordiska valv endast vara belyst av en bedrövlig lampa, som sprider ett svagt sken, och *Vid Theatrens öpnande ser man midt i fängelset Gustafs Mor, Cecilia av Eka, tillika med sin Dotter, Joachim Brahes Enka, Margareta Wasa, som håller sin Son, den unge Pehr Brahe i famnen... Alla visa tecken af den yttersta sorg och förtviflan.*

Desprez' bevarade förslag för scenen i Nationalmu-seum, som eventuellt kan vara en ytterst välgjord ateljékopia, tar noga fasta på texten. Över huvud tycks scenografin för hela operan ha vuxit fram i nära sam-råd med manusförfattaren kungen. Via ett tungt och massivt spetsbågsvalv leds åskådarens blick diagonalt in mot en rund, fönsterlös sal, som öppnar sig med en murad, bastant pelare mitt i fonden. En osande och sotande oljelampa sprider invid ett krucifix ett fladd-rande sken. De danska knektarna, lätt igenkännliga genom sina röda, fläckvis isatta accenter i unifor-merna, försöker med hugg och slag skingra de i svart hållna fångarna, när dessa i stark sinnesrörelse ser den siste Sturen fångas in och föras genom en trång dörr-öppning nedför en brant trappa till vänster i bilden.

Vid det sceniska uppförandet slopades den diago-nala uppbyggnaden och händelserna utspelades i stäl-let i ett frontalt inrättat scenrum.

Hur Desprez gick till väga i skisserna till sina fär-diga förslag har vi en möjlighet att bedöma i första aktens fjärde scen, där vi från den medeltida tegelbor-gens mörka fängelsehålor förs in i den *Förnämsta Salen på Slottet.* I en rik gotisk pelarhall, som egentligen bara är en lättare revidering av slottskapellets förstuga i tredje akten till *Drottning Christina,* sitter den danske kungen och håller hov. Desprez har med spretig bläck-penna snabbt, expressivt och virtuost kastat ned kom-positionens huvuddrag på papperet och metodiskt för-

Förnämsta salen på slottet. Desprez' skiss till scenbild för "Gustaf Wasa", akt I, scen 4

delat skuggor och dagrar till att bygga upp stora ytor och harmoniska volymer.

Den andra och och början av tredje aktens händel-ser tilldrar sig i de härläger svenskar och danskar upprättat på ömse sidor av Norrström. Scenen före-ställer det inre av Gustav Vasas respektive Kristians tält och i allegoriska drömsekvenser målas upp de tankar de brottas och umgås med aftonen före den avgörande drabbningen.

I svenskarnas läger på Kungsholmen ligger deras hövitsman i god slummer. Från skyn uppenbarar sig en skyddsängel. Äran och Segern kommer och lager-kröner honom och i ändlösa kolonner passerar i dröm-men hans trupper förbi med försilvrade harnesk, anförda av Ryktbarhetens förtrupper på bevingade hästar. I Kristians tält råder däremot ruelse och ånger. Beväpnade vakter är utposterade vid öppningen och inuti kastar sig den danske kungen i full stridsmunde-ring oroligt av och an på sin brits. Ur jordens innan-döme uppreser sig mörka fantomer. Det är de vid Stockholms blodbad avrättade herrarna som går igen.

Det inre av Kristians tält, scenbild till "Gustaf Wasa", akt III, scen 1–3. Kopia av Per Estenberg, privat ägo

62
Bevingad renommé, kostymteckning till "Gustaf Wasa", akt II, scen 7

Blyerts, penna och svart bläck, lavering i grått, akvarell
369 × 217

NMH 1811/1875
PROVENIENS: J T Sergel

Exakt hur scenerna tog gestalt i Desprez' fantasi går inte att avgöra, då nästan allt originalmaterial försvunnit. Det enda som återstår är ett kostymförslag i Nationalmuseum till en bevingad renommé med två lagerkransar i händerna. Förmodligen rör det sig om segergudinnan i sekvensen från Gustavs tält. Desprez har draperat henne i ljusblå tunika och rosa kjortel. I övrigt har vi bara Per Estenbergs (1772–1848) kopior att tillgå. Av dessa framgår att Desprez för några av förslagen till tältscenerna begagnat sig av stänger påminnande om tornérlansar för att bära upp brokadliknande vävnader.

63
Stormningen av Stockholms yttre värn, scenbild till "Gustaf Wasa", akt III, scen 6

Penna och svart bläck, lavering i grått, akvarell, förhöjningar med täckvitt
315 × 555

TIDIGARE I STAATSBIBLIOTHEK PREUSSISCHER KULTURBESITZ, BERLIN, INV.NR 6144

Med scen sex i tredje akten förändras scenbilden och föreställer svenskarnas stormning av Stockholms yttre värn. I bakgrunden skymtar man enligt scenanvisningen den danska flottan till ankars nedanför slottet Tre Kronor och ser spirorna till S Nicolai (Storkyrkan) och Riddarholmskyrkan sticka upp. Drabbningen är hård, svenskarna reser stormstegar under kraftig granatbeskjutning, kastas tillbaka, för fram kanoner som gör bräsch i muren och återkommer i en andra, framgångsrik stormningsvåg. Gustav Vasa själv reser det svenska riksbanéret högst uppe på murkrönet innan vindbryggan fälls ned och det svenska infanteriet och kavalleriet kan storma in.

Den breda, episka skildringen av händelsen i pjäsens scenario gav utlopp åt Desprez' fantasifulla förmåga och måleriska talanger. Den blickpunkt han valde för sitt originalförslag, som tyvärr förstördes i Berlin under kriget, är strängt frontalt hållen. Förmodligen har han menat att avbilda staden från malmarna i norr. De romantiskt utformade försvarsverken, med sina italienskt inspirerade tinnar och torn och med ett av Bernard Foucquets bronslejon från Lejonbacken placerad som lätt igenkännlig accent på den välvda bron i centrum av bilden, skulle eventuellt kunna placeras på Helgeandsholmen.

I en stegrande rörelse från vänster till höger och sedan diagonalt och horisontalt över bildens mitt skildras med stor dramatik de svenska trupprörel-

64

Hamnen i Stockholm, scenbild till "Gustaf Wasa", akt III, scen 8

Blyerts, penna och svart bläck, lavering i grått, akvarell, gouache, förhöjningar med täckvitt
365 × 568

NMH Z 1/1959
PROVENIENS: M G Anckarswärd

serna. Musketerare i sträng formering och slutna led har bland segervisst vajande svenska fanor fattat posto nere i bildens vänsterkant. I salva efter salva fyrar de av sina eldvapen mot de danska bröstvärnen. En välriktad träff från det svenska artilleriet får ett av tornens gallerier att rämna med dannebrogen och allt i ett moln av rök och damm. Under tiden har de svenska förtrupperna nått upp på bron mitt i bilden och går i intensiv närkamp med de danska försvararna. Eld och rök omger överallt scenen och över himlen slår regnbågen sin brandgula båge som ett järtecken.

Per Bjurström har karaktäriserat Desprez' förslag som en renodlad bataljmålning, men också poängterat att det i sin blandning av fiktiva kulisser och reellt hopsnickrade broar och ramper tillät ett system av spelplan på olika höjd över scengolvet och därmed differentierad aktion. I verkligheten får man förmoda att arrangemangen reducerades och förenklades.

65 a

**Kostymteckning till dansk bösskytt i
"Gustaf Wasa"**

Blyerts, penna och svart bläck, lavering i
grått, akvarell
312×174

NMH s n

Med nästa scen, den sjunde, förs vi via den stora
fästningsporten in i staden tillsammans med Gustavs
krigsfolk, där dalkarlarna bildar eftertropp. Desprez'
förslag är endast känd i en blek och rudimentär kopia i
Göteborgs konstmuseum. Genom ett brett, spetsbågigt
valv med upphissat järngaller för vindbryggan ses har-
neskförsedda knektar med breda svärd och yviga
hjälmbuskar i färd med att rulla fram sina kanoner
längs Stockholms knaggliga gator. Nedtill i vänstra
hörnet, invid en depå med runda kanonkulor, skymtar
återigen ett av Focquets bronslejon för att ge lokalfärg
åt scenen.

Striden mellan svenskar och danskar är alltjämt
häftig när ridån går upp för den åttonde scenen, före-
ställande *Hamnen vid Stockholm*. Gustav Vasas uppbå-
dade folkarmé har via Kåkbrinken slagit sig fram till
Slottsbacken. Fotfolket i de främre leden har redan
hunnit storma slottet och ersätta Kristians rödvita

65 b

**Kostymteckning till riddare Bran-
ting i "Gustaf Wasa"**

Blyerts, penna och svart bläck, lavering i
grått, akvarell
377 × 269

NMH 1815/1875

Påskrift: *En Riddare. Branting*
PROVENIENS: J T Sergel

fälttecken med Gustavs i blått och gult. Från en bal-
kong framträder Sten Sture d.y:s maka Kristina Gyl-
lenstierna, nyss befriad ur sitt fängsliga förvar. Hon
som med så stort civilkurage lett Stockholms försvar
och blivit en symbol för motståndet under den danska
ockupationen.

I ett sugande, snedställt perspektiv visar Desprez
upp allt detta och dessutom hur de svenska trupperna i
ett sista häftigt utfall jagar ner danskarna mot Skepps-
bron, där deras fartyg skymtar på Strömmen. Det är
en mäktig akvarell han åstadkom, kanske den mest
suggestiva han utfört. Till höger reser sig i hans scen-
förslag Storkyrkan såsom ett venetianskt palats med
öppna gallerier och luftiga arkader med fri genomsikt
ner mot vattnet. Som dess kontrast och motsats fram-

ställs borgen Tre Kronor. Den är kompakt och fyrkantigt hållen och upptill försedd med kraftiga skyttevärn och små runda turneller. Mot en dramatisk blå himmel, med ett annalkande oväder i bakgrunden, reser sig mitt i bilden dess väldiga kastal.

Under den tolfte och sista scenens allmänna kör ser man de åtta betrodda riddare som hela tiden åtföljt Gustav på hans fälttåg höja honom som segrare på sina axlar: *de upplyfta honom på en sköld som är lagd på standarer och teknad med Svenska vapnet.* Epilogen finns återgiven i en målning av Pehr Hilleström.

Men det var som sagt inte bara vid scendekorationerna Desprez lade ned stor omsorg. Även åt kostymerna och textilierna ägnade han berättigat intresse och arbetade i görligaste mån med äkta stoffer och broderier. Några av originaldräkterna finns ännu bevarade i Nordiska museet. Samma institution delar med Nationalmuseum och stiftsbiblioteket i Linköping hans kostymförslag. Sammanlagt finns ett tiotal akvareller och gouacher kvar i behåll, bl.a. en dansk hovdam, svenska och danska knektar samt slagverkare

65 c

Kostymteckning till trumslagare i ''Gustaf Wasa''

Blyerts, penna och svart bläck, lavering i grått, akvarell
357 × 273

NMH 1814/1875
PROVENIENS: J T Sergel

med trummor, pukor och cymbaler. Mäktigast, och då inte bara till kroppshyddan, är den riddare *Branting* Desprez klätt upp som Karl X Gustavs like i ett 1600-talskyrass.

Gustaf Wasa med Desprez' dekorer och dräkter blev en stor publik framgång och understödde Gustav III:s kulturpolitiska strävan att skapa en nationell teater. Folk trängdes så att dubbla vakter måste sättas ut vid portarna och framför biljettluckan. Efter fyra månader hade verket uppförts vid tjugotre tillfällen, med dåtida mått mätt en smått otrolig siffra. På litet mer än tjugo år slets originaldekorerna ut så fullständigt, att Desprez' lärjunge Hjelm år 1810 fick i uppdrag att måla nya.

Både kungen och hans librettist Kellgren var nöjda. Kellgren så till den grad att han i ett brev till en vän hävdade *att detta spektakel var det fullkomligaste man vill önska sig att se.* I Stockholms-Posten för den 18 maj 1786, alltså ungefär ett halvår efter premiären, dök också en insändare upp, tyvärr utan underskrift. Den anonyme recensenten är översvallande, men uppehåller sig nästan enbart vid scenografin. Det är tydligt att han är ytterst väl orienterad i ämnet:

> *Utan all tvifvel är ämnets vigt det mäst intagande, men lika säkert är, at den prakt och den värdighet, som blifvit följd vid upförandet, försatt åskådarne uti den lifligaste inbildning at tro sig närvarande vid sjelfva händelsen. Det sanna som decorateuren sökt uti den tidens architecture, klädedrägt och vapen med det mera, den förnöjelse man finner af perspectiven, den styrka uti målning och den granlagenhet vid iakttagandet af det minsta, är icke så sällsynt vid theatraliska decorationer, som det vittnar om historisk kunskap, om snille och förmåga.*

Med kännedom om Desprez' vandel och sammansatta natur, kan man undra om han inte själv låtit författat texten och anonymt införa den i tidningen. Veckan innan, den 11 maj, hade nämligen ännu en opera haft premiär på den nya nationalscenen. Det var Calzabigis *Orfeus och Evrydike* med musik av Gluck. Scendekoren och kostymerna var även här bitvis signerade Desprez.

Mottagandet blev svalt. I Stockholms-Posten jämförde man litet orättvist den på ytterst kort tid åstadkomna scenografin med vad han förmått i *Gustaf Wasa.* Syrligt anmärkte man på att *De rymder, som skola hysa warelser till en oräknelig mängd, inskränkas ej med hwalf och twära strömmar ... Busar med horn och swantsar är barnsligit ... De spöken, som stå bakom dörarne och stångas, tilhöra fattigstugans aftonbetraktelser.*

Det är ogörligt att avgöra om kritiken var berättigad eller ej. Det bevarade materialet är alltför fragmentariskt för att man ska våga dra några bestämda slutsat-

66

Kostymteckning till Eurydike

Blyerts, penna och svart bläck, lavering i
grått, akvarell
372 × 262

NMH 219/1927

Kontrasignerad: Carl J Hjelm
Påskrift: *Euridice. Slöjor af silfver flor. gans-
ka fint ock transperant, den första Roben af
Vitt satin den andra, Dito, af Fint Monseline.
sinturet af Silfwer*

67

**Kostymteckning till klassisk hjälte i
"Orfeus och Evrydike"**

Blyerts, penna och svart bläck, lavering i
grått, akvarell
372 × 262

THC 1841

Påskrift: *Ombres des Héros au Champs
Elisées*

ser. Därtill kommer att Desprez för vissa av scenerna
tvingades återanvända kulisser ur Kungl teaterns
dekorförråd, bl a en grotta för det som skulle föreställa
nedgången till dödsriket. I Nationalmuseum finns en
hastig kostymskiss till en helt i vitt draperad, klassisk
hjälte med påskriften *Ombres des Héros au Champs Elisèes*.
Likaså en för Eurydike, med tunna slöjor i vitt och
silver.

Men för Desprez kom den nedgörande kritiken vid
en sällsynt olämplig tidpunkt. Hans kontrakt höll på
att gå ut och via Sergel underhandlade han med de
svenska myndigheterna om att mot höjd ersättning
stanna kvar ytterligare några år. Den i Stockholms-
Posten i mitten av maj anonymt införda recensionen
av *Gustaf Wasa*, kan enbart ha varit menad att stärka
hans ställning och skingra uppmärksamheten kring
missödet med *Orfeus och Evrydike*.

Den 1 juli 1786 tecknades också nytt kontrakt med
den Kungliga Teaterdirektionen. Det signerades av
Desprez och den nytillträdde chefen för de kungliga
teatrarna, Gustaf Mauritz Armfelt, i dubbla exemplar
ute på Drottningholm.

NYTT KONTRAKT,
NYA ARBETSUPPGIFTER

Enligt det nya kontraktet skulle Desprez såsom *decora-
tionsdirecteur* få tusen riksdaler om året i lön samt fri
bostad och vedbrand. Vidare skulle han åtnjuta rese-
ersättning och pension utgå om han önskade lämna
landet före kontraktstidens utgång. I gengäld förband
han sig att inte bara göra skisser och verkställa dekora-
tioner för scenen, utan även närhelst så önskades
skapa den rätta, festliga inramningen kring hovets
olika officiella arrangemang.

Den 7 oktober samma år fastställdes emellertid
också ett nytt reglemente för "Kongliga Teatern", det
vill säga Operan. På punkt efter punkt reglerades de
olika befattningshavarnas göromål. Under artikel sex,
som gäller själva *decorations-målareverkstaden* med Bru-
sell som föreståndare, fastslås redan i den första para-
grafen att *uti denna verkstad förfärdigas alla de för Kongl
Teatrernes decorerande nödiga arbeten... äfvensom ritningar
till costumer.* Det är tydligt att man från den nya teater-
direktionen med Armfelt i spetsen önskade frånhända
Desprez denna arbetsuppgift, förmodligen av ekono-
miska skäl. Kostnaderna för kostymerna i *Gustaf Wasa*
hade nämligen blivit oproportionerligt höga.

Litet längre ned, under paragraf fyra, finns litet mer
försiktigt formulerat en tanke om att i framtiden lägga
ut alla arbeten på beting, varvid den ytterst ansvarige
– nämligen Desprez – *ålåge då endast att sedan han gjort
alla utkast och ritningar, tillse att Decorationerna blifva deref-
ter med noggrannhet, med vackra och varaktiga färgor förfärdi-
gade.*

Denna förändring ägde också rum, men först 1791:
*...då nödgade Directionen alldeles skilja Despres från detal-
jerna af Executionen, som han förut delat med hofmålaren
Brusell; han användes sedan endast att upptänka och samman-
sätta esquisserna* (skisserna). Citatet är hämtat ur F A

Slutscenen i "Ariadne på Naxos". Kopia efter Desprez i Nationalmuseum (NMH Z 3/1951)

Dahlgrens *Anteckningar om Stockholms teatrar*, utgivna i Stockholm 1866. Författaren citerar en skrivelse från Claes Rålamb, från 1792 förste direktör vid de kungliga teatrarna och ställd till Kungl Majt den 30 mars 1798 med anledning av att Desprez' andra kontrakt löpte ut.

Men föga tänkte väl Desprez på vad framtiden hade i sitt sköte, när han sommaren 1786 skrev under det papper som i ytterligare tolv år förband honom att stanna i Sverige. Det fanns ändå varsel om att tiderna snabbt höll på att försämras. För den 18 november antecknade sekreteraren vid magistraten i Stockholm, Rutger Hochschild, i sina memoarer att vintern börjat med allvar, att handeln och kommersen under hela året avtagit samt att *Penningbristen var synbar och spektaklen tomma.*

Ändå var det med sjudande aktivitet Desprez grep sig an sitt värv sedan kontraktet förnyats. Under de resterande månaderna och det påföljande året ansvarade han för dekorationerna till inte mindre än fyra premiärer och förberedde en femte. Redan den 22

december 1786 ägde den första föreställningen rum på Munkbroteatern. Det var *Ariadne på Naxos*, ett melodram av tysken J Chr Brandes i en akt och till musik av Jiri Antonin Benda. Endast slutscenens romantiska skildring, hur hjältinnan i skenet från ett kraftigt åskväder tar sitt liv genom att kasta sig utför den klippa där hon hålls fängslad, finns i Drottningholms teatermuseum bevarad av Desprez' förlagor.

Men i huvudsak ägnade Desprez hösten 1786 åt att komponera och förbereda dekorationerna till Quinaults och Glucks opera *Armida*, med ämne hämtat ur Tassos *Gerusalemme Liberata*, som skulle ha premiär lagom till kungens födelsedag den 24 januari 1787.

Till de fem akterna finns två förslag till scendekorationer samt en kostymteckning kvar i behåll. Enligt scenanvisningen utspelar sig den tredje och fjärde akten i samma miljö, i en ödemark. I Desprez' övervägande i brunt, grått och gult akvarellerade dekorförslag blandas nordiskt med sydländskt. I ett klippigt gråstenslandskap dväljs dramats två hjältar – Sven och Ubald – bland mossbelupna, nordiska granar och

68

**En ödemark, scenbild till "Armida",
akt III–IV**

Blyerts, penna och svart bläck, lavering i
svart och grått, akvarell
570 × 742

NMH 300/1891
PROVENIENS: Chr Eichhorn

69

**Kostymteckning till rasande furie i
"Armida"**

Blyerts, penna och svart bläck. lavering i
grått, akvarell
375 × 273

NMH 1812/1875
PROVENIENS: J T Sergel

sydländska palmer. En hisklig furie med två brinnande
facklor i händerna kommer störtande emot dem från
sin avgrundshåla till vänster i bilden. Hela scenen är
sedd via en grottöppning, tänkt att formas via sättstyc-
ken eller en bruten fond närmast scenöppningen.

"Grotta di Palazzo", teckning av Desprez under hans samarbete med abbé de Saint-Non. Privat ägo

Greppet att på teaterns trånga scenutrymme skapa något som på en gång inramar och samtidigt ger en naturlig illusion av djup, rymd och ljus kring fonden känner vi igen. I *Gustaf Wasa*, som utspelar sig i stadsmiljö, var det mörka, spetsbågiga valv Desprez begagnade sig av i förgrunden. I *Ariadne på Naxos*, där handlingen tilldrar sig på en ö mitt i Egeiska havet, var det naturens egna klippformationer. Som förlaga tycks Desprez ha använt sig av de vulkaniska bildningar, kallade *Grotta di Palazzo*, han under samarbetet med Saint-Non tecknat av vid Polignano i Apulien. Nästan i oförändrat skick återbegagnade han dem i *Armida*.

Kostymförslaget som omtalats gäller också scenerna från ödemarken i tredje och fjärde akten och är en noggrann redogörelse för hur den rasande furien skulle vara klädd, med ringlande ormar och sönderrivna kläder – allt detta som hör ondskan och vanvettet till.

Det sista och avslutande förslaget rör sig om en interiör från Armidas förtrollade palats i femte akten. I en symbios mellan gammalt och nytt, mellan traditionen från barockscenens komplexa arkitektur och nyantikens mer strama saklighet, har Desprez skapat sin scenbild. Han har begagnat ett strikt centralperspektiv och klart skiktat rummet genom djärva överlappningar mellan ömsom välvda, ömsom plana, kassetterade tak, uppburna av genomgående kopplade kolonner med korintiska kapitäl.

Det är dock osäkert om detta förslag verkligen kom till användning vid själva uruppförandet och inte utfördes något senare, till nypremiären den 1 december 1788. I Stockholmstidningarna för nämnda år och

70

Armidas förtrollade palats, scenbild till "Armida", akt V

Blyerts, penna och grått bläck, lavering i grått. akvarell och gouache
370x435
DROTTNINGHOLMS TEATERMUSEUM INV.NR
202/1991

"Frigga", scen 1. Linjeetsning av Hans Gottlob Hensigen, akvarellerad av Per Estenberg. Drottningholms teatermuseum

Friggas tempel vid gamla Uppsala. Desprez' originalteckning i Ermitaget, S:t Petersburg

Friggas tempel vid gamla Uppsala, alternativt förslag. Kopia av Per Estenberg i privat ägo

dag kan man nämligen läsa att Desprez gjort en ny dekor för någon av scenerna. Wollin menar att det var för Armidas palats.

Nästa inscenering, som redan i slutet av maj 1787 skulle vara färdig att presenteras för publiken gällde Gustav III:s lilla enaktare *Frigga*, som versifierats av Leopold och som kamrerare Olof Ålström vid Krigskollegiet satt musik till.

Ursprungligen var pjäsen utformad som en komedi, ämnad att uppföras på Gripsholm samtidigt med *Drottning Christina* 1785. Det förslag Desprez då utarbetade för dekoren finns reproducerat i ren linjeetsning av hans elev Hans Gottlob Hensigen (1766–1805) och kolorerat av en annan av hans adepter, Per Estenberg. Dov och trolsk är den stämning bilden förmedlar. Halvt skymd bakom en åldrig, lutande gran och några sällsamt prunkande skogsblomster reser sig den boning Desprez skapat åt gudinnan invid en tjärn eller sjö. Byggnaden har han utformat som ett klassiskt tempel med korintiska kolonner, entablement och fronton. På en kraftig, kvaderstensfogad terrass återfinner vi Foucquets bronslejon från Lejonbacken, eventuellt för att understryka det nordiskt nationella i handlingen och miljön.

När *Frigga* 1787 kom upp på Operans scen hade komedin transformerats till en opera och handlingen hade från en tidigare ej definierad plats nu uttryckligen förlagts till gamla Uppsala, till den heliga lund som omgav gudinnans tempel. I det nya dekorförslag Desprez utarbetade, som i original finns bevarat i Ermitaget, St Petersburg, finns klipporna från den föregående scenen kvar, men omformade till en grotta i bakgrunden. Här inne i halvdunklet reser sig gudinnans tempel, en långsträckt, kompakt stenbyggnad med sjunkna valv som enda ljusöppningar och med en säregen portik formad av en gigantisk monolit eller pentagon, vilken bärs av fyra kannelerade, närmast doriska kolonner. I övrigt leder en hög trappa, vaktad av två sfinxer upp till byggnaden. Två runstenar har också placerats in i den omgivande skogens frodiga grönska.

I ett alternativt förslag för Drottningholmsteatern, som vi känner i kopia av Estenberg, har Desprez bytt ut sfinxerna mot två för nordisk miljö mera lämpade renar och med närlins zoomat in själva grottöppningen, där man ser en klassisk rotunda med altare och kassetterat tak skymta fram.

*Agamemnons grav, scenbild till "Elektra", akt III. Kopia av
Per Estenberg, privat ägo*

*Krypta till italiensk kyrka. Etsning. Signerad: desprez Excu invenit.
Institut Tessin, Paris*

Den tredje uppsättningen Desprez på kort tid gjorde
var scenografin till *Elektra*. Knappt två månader efter
premiären på *Frigga* framfördes Nicolas Francois Guil-
lards opera ute på Drottningholm med anledning av
drottningens namnsdag den 22 juli. Kungens bibliote-
karie Adolf Fredrik Ristell hade gjort vers av texten.
För musiken stod Johann Christian Friedrich Haeff-
ner, vilken bl.a. var verksam som organist vid Tyska
kyrkan.

Av dekorerna känner vi endast till en av dem som
ingick i tredje och sista akten. För en byggnad, som
enligt scenanvisningen *omgifver Agamemnons graf*, ska-
pade Desprez efter mönster från en gravyr han tidigare
utfört en massiv och tung krypta, som i fyra väder-
streck öppnar sig med tunga valv. I dess mitt syns
kungens stoft vila i en askurna placerad på en sarko-
fag. Fyra doriska kolonner med kraftiga överliggare
omgärdar graven. I skenet från en flackande oljelampa
och en lågt stående sol, vars svaga strålar letar sig in
via en öppning och trappa i bakgrunden, ses två för-
krossade gestalter (Orestes och Elektra?) luta sig mot
det kungliga gravmonumentet. Allt detta om man får
tro den kopia av Estenberg som finns bevarad av
scenen.

När *Elektra* senare sattes upp på Operan 1787 gjorde
Desprez om dekoren och kallade den *Tempel i mitten av
en öppen plats*. I Drottningholms teatermuseum finns
hans förslag bevarat till den scen där Klytaimestra,
som låtit mörda maken Agamemnon, gör sig beredd
att tillsammans med sin älskare och medbrottsling
Aigisthos besöka och offra vid hans grav.

Genom ett kryssvalv i höjden, som bildar öppningen
till någon form av triumfbåge sugs åskådarens blick
via en enorm, men perspektiviskt skickligt komprime-
rad gravgata, kantad på grekiskt vis med dubbla
kolonner med öppna överliggare, mot ett gigantiskt

masoleum i bakgrunden. Byggnaden har Desprez
konstruerat som en avsmalnande pyramid med avsku-
ren topp och genombruten av ett präktigt kassetterat
tunnvalv. Hela anläggningen låter han på andra sidan
valvet symmetriskt upprepa sig i ett i fjärran förto-
nande dis.

Denna eklekticism, eller sammanblandning av olika
stilar är betecknande för Desprez, han delade den dock
med många samtida. Likaså denna megalomani, eller
smak för det kolossala, som utan att ta notis om prak-
tiska eller ekonomiskt genomförbara lösningar domi-
nerade fransk arkitekturteori och utbildning under
1700-talets tre fyra sista decennier. På löpande band
premierades bland de franska akademieleverna nästan
enbart dem som hade fantasi nog att ta ut svängarna
ordentligt och bygga luftslott med hjälp av en skog av
kolonner och ofta täcka över dem med en gigantisk
kupol, som i rymd och vidd till och med överglänste
förebilden Pantheons i Rom.

På något vis är det därför symptomatiskt att Des-
prez såsom skolad fransman i sin dramatiska nit över-
dimensionerat arkitekturen, så att han tvingats skjuta
själva huvudhandlingen såsom en bisak till bak-
grunden.

Strax före premiären på *Elektra* hade Desprez även
hunnit slutföra ett annat arbete för en annan scen. Det
gällde ridån till den i början av juni 1787 nyöppnade
dramatiska scenen i Bollhuset vid Slottsbacken, där
Ristell, kungens omnämnde bibliotekare, för sex år fått
nådigt bifall att uppföra skådespel på svenska språket.
Lokalen delade han med den av Gustav III 1781 inkal-
lade Monvelska teatertruppen, som ägde rätt att i den
av Erik Palmstedt nyinredda salongen ge två föreställ-
ningar i veckan på sitt eget modersmål, franska.

För scenens ridå komponerade Desprez en olymp
som tyvärr gått förlorad och som vi därför bara kan

ana oss till via kopior av bland annat Estenberg. En bred bård med ornamentala blomsterslingor tycks ha bildat den yttre ramen kring scenen. Upptill återfinns det lilla svenska riksvapnet omgivet av två i detta sammanhang nästan obligatoriska renomméer eller bevingade ''ryktesspridare'', som via sina basuner trumpetar ut det svenska rikets ära och betydelse för omvärlden.

Desprez' ridå för Bollhusteatern. Kopia av Per Estenberg, privat ägo

71

Tempel i mitten av öppen plats, scenbild till ''Elektra'', akt III, scen 5

Penna och svart bläck, lavering i grått, akvarell
570×765

DROTTNINGHOLMS TEATERMUSEUM INV.NR
203/1991

Upphöjd i en sfär för sig själv svävar den allsmäktige Zeus eller Jupiter med utsträckt hand, sittande på en bit av himlavalvet, dekorerat med zodiakens djurkrets. Förnöjd åser han från sin majestätiska tron hur de andra gudarna roar sig i en halvrund bankettsal, dit en med trappor och kolonner försedd entré leder. På programmet tycks stå en uppvisning av de tre gracerna. Dessa varelser representerade i antik mytologi allt skönt och behagligt i tillvaron. De förknippades såväl med gästabud som med sådana aktiviteter som mera hör teatern till: musik, poesi, vältalighet osv. Det är väl därför Desprez utnyttjat dem som ett centralt motiv i sin komposition.

Med dekorationerna till *Gustaf Adolf och Ebba Brahe* inledde Desprez teatersäsongen 1788. Detta var sista året han var ensam ansvarig för insceneringarna. Pre-

Vestibulen på Kalmar slott, scenbild från "Gustaf Adolf och Ebba Brahe", akt I. Kopia av Per Estenberg, privat ägo

miären skedde i Stockholm på kungens födelsedag den 24 januari. Bakom texten till detta nationella melodram om den nittonårige Gustav II Adolfs djupa förälskelse i en av damerna kring hovet, som han tvingades ge upp när andra, större förpliktelser kallade, stod Gustav III och Kellgren. Abbé Vogler hade komponerat musiken och för koreografin svarade den franske balettmästaren Louis Gallodier.

Som alltid när det gällde kungens egna pjäser var scenanvisningarna detaljerade och tillät inte några större avvikelser eller tillägg från scenografens sida. För de tre akterna finns ett halvt dussin teckningar bevarade. Åtminstone två av dem förefaller vara Desprez' egenhändiga dekorförslag för några av scenerna i andra och tredje akten. De andra är kopior och ibland kanske även efterteckningar av de färdiga scenbilderna, utförda av Desprez' båda elever Ingemar Sunesson och Per Estenberg.

Det är bland annat genom dessa efterhandsteckningar vi känner till hur Desprez scenografiskt utformade den första aktens inledande händelser, som tilldrar sig i *en Vestibule af Calmar Slott... der man ser Öland på afstånd*. En av Estenbergs kopior avslöjar hur Desprez upprepar element från sina tidigare teaterinteriörer för scenen. Det gäller den interiör han nästan exakt tre år tidigare skapade för *Slottskapellets förstuga* i tredje akten till *Drottning Christina* (se ill s 71). Vi känner igen greppet med två flankerande ryttarmonument och en tvärt avslutad arkitektonisk uppbyggnad i förgrunden. Likaså triumfbågsmotivet i fonden och Foucquets bronslejon, som han nästan förefaller ha omvandlat till någon form av personlig signatur.

Med akt två förändras scenbilden till att föreställa Färjestaden på Öland. *Man ser*, enligt scenanvisningen, *på ena sidan Färjekarlens hus, på den andra några trän, under hvilka en gräsbänk och någre trädstolar finnas.*

Bakom synes ett berg, öfver hvilket landsvägen går och i Fonden stora Hafvet eller rättare Calmare Sund, öfver hvilket Staden och Slottet synas på långt afstånd. Längs åt stranden, hvarvid en ekstock ligger fästad, ser man nät uppsatte på käppar att torka: jämväl andra redskap, som folket är sysselsatt att laga i ordning till ett förestående notvarp.

I stort format och med bred pennföring utformade Desprez sitt förslag till dekoren. Koloriten är huvudsakligen hållen i dova toner. Gula, gröna och blå färger blandas med utspätt, grått bläck i en lämplig skala. Fläckvis är isatta några förhöjningar med intensivt rött. I förgrunden står några träd och spänner sitt knotiga grenverk till ett grönt valv över scenen.

In i minsta detalj har Desprez följt de skriftliga instruktioner som gavs för scenen. Enda gången han brukat sin egen fantasi är i utformningen av färjekarlens boställe. Han har konstruerat det som en märklig blandning mellan ett medeltida, med trappstegsgavel försett borgarhus i sten och två knuttimrade korsningar mellan en nordisk lada och ett marknadsstånd.

Genom ett brev Gustav III skrev till sin syster Sofia Albertina, där han beskriver premiären på operan, vet vi att det var Brusell som färdigställt kulisserna för andra akten. Det visar sig vid en konsultation av Operans dekorinventarium att scenbilden huvudsakligen sattes samman av den sedan 1783 befintliga och sannolikt av Dugourc komponerade skogsdekorationen till *Iphigenia i Tauriden*, som nu kompletterades med byggnadsstaffage efter Desprez' design.

Även kostymerna var ritade av Desprez. Nationalmuseum och Drottningholms teatermuseum delar på två magnifika, akvarellerade förslag med påskriften *paisans*, dvs. bönder. Samma figurer med överensstämmande påskrifter rörande koloriten i dräkterna finns också litet mer flyktigt utförda i en skissbok av Desprez i privat ägo.

73

72

Färjestaden på Öland, scenbild till "Gustaf Adolf och Ebba Brahe", akt II

Blyerts, penna och svart bläck, lavering i grått, akvarell
575 × 755

NMH 301/1891
PROVENIENS: Chr Eichhorn

73

Kostymteckning med bonde och son för "Gustaf Adolf och Ebba Brahe"

Blyerts, penna och svart bläck, lavering i grått och svart, akvarell
392 × 257

NMH 220/1927

Påskrift: *paisans*
Kontrasignerad: *Carl J Hjelm*

74

Kostymteckning med bondhustru och dotter för "Gustaf Adolf och Ebba Brahe"

Blyerts, penna och svart bläck, lavering i grått, akvarell
355 × 260

DROTTNINGHOLMS TEATERMUSEUM 301/1973

Påskrift: *paisans/Borgarhustru*
N. 4. såsom modern men olika färger
Kontrasignerad: *Carl J Hjelm*
PROVENIENS: Ch Hammer

75

Yttre borggården på Kalmar slott, scenbild till "Gustaf Adolf och Ebba Brahe", akt III, scen 1

Blyerts, penna och svart bläck, lavering i grått, akvarell, förhöjningar med täckvitt

567 × 742

NMH 46/1901

Påskrift (med blyerts): *Projecterat til Gustaf Adolph*

Till den tredje akten finns ett i akvarell bevarat förslag som är hållet i en blond färgskala, med toner som skiftar mellan grönt, blått och gult. Scenen återger den yttre borggården till Kalmar fästning.

Arkitekturen är närmast romansk. Längs en bred vallgata, kantad på ömse sidor av fint fogade kvaderstensmurar med gluggar för slottets fasta batterier och mjukt rundade försvarstorn med utkragade skyttevärn för den ambulerande vaktstyrkan, ser man i fonden en med valv slagen ramp eller bro på vars krön en tron med gula kronor på blått kläde rests.

Utmed båda sidor av gatubildningen och längs bakgrunden finns paraderande musketerare i blågula uniformer utposterade. Litet förbryllande är dock att dessa staffagefigurer inte riktigt tycks passa in på vad som anges i scenanvisningen: *Man ser Drottningen komma utur Slottet, följd af sitt Hof, för att från en på Fästningsvallen uppbygd Thron beskåda Tornerspelet, som strax börjas. De Göthiske och Romerske Riddarne täfla i flera slags krigsöfningar.*

I kopia av Estenberg finns emellertid ytterligare ett, alternativt förslag till dekoren bevarad (NMH 305/ 1891). Här har konturerna till drottningens gestalt och de tornerande kämparna tecknats in med blyerts. Det är intressant att notera hur riddarna på sina hästar försetts med lansar, kyller, knäkorta byxor, fladdrande mantlar och yviga hjälmbuskar.

Med samma mundering och beväpning har nämligen Desprez utrustat en karusellryttare i den tidigare nämnda Rosersbergsvolymen i Nationalmuseum. Kanske kan den närmast okända, men skickligt utförda akvarellen tänkas vara ett kostymförslag för scenen? I så fall vet vi även hur Desprez tänkt sig att väpnarna, eller det enklare fotfolket, skulle vara

klädda och beväpnade. Med simplare harnesk för bröstet, sköld och svärd samt att färgkonstellationen nästan genomgående var ämnad att hållas i blått och gult, dvs. de svenska färgerna. Enda undantaget utgör riddarnas mantlar eller togor, som avviker i rött.

Från nordisk stormaktsmiljö förflyttades Desprez hastigt till en helt annan kultursfär, när han inför nypremiären på operan *Cora och Alonzo* utförde två nya dekorer fram till utgången av mars månad 1788. Operan, som kungens handsekreterare Gudmund Jöran Adlerbeth byggt på en roman av Marmontel och J G Naumann komponerat musiken till, tilldrar sig nämligen i inkaindianernas rike, Peru.

När ridån gick upp för första akten skulle man enligt scenanvisningen se *en tiock Skogspark, helgad åt Solen, utanför des Tempel i Quito*. I Drottningholms teatermuseum förvaras den teckning som visar efter vilka principer Desprez konstruerat denna, för honom okända

76

Kostymteckning med tornerande kämpar för "Gustaf Adolf och Ebba Brahe"

Blyerts, penna och svart bläck, lavering i grått, akvarell
345 × 402

NMH 120/1919:8
PROVENIENS: Rosersberg

och exotiska miljö. Man kan då omedelbart slå fast att det enda främmande inslaget består i att några korsningar mellan palmer och lövträd satts som inramande kulisser eller sättstycken i förgrunden. I övrigt är det traditionella schemata med en rikt utvecklad kolonn-arkitektur Desprez griper tillbaka på då han skildrar prakten och härligheten kring inkatemplet.

Det verkar även vara så att Desprez tagit över hela arrangemanget från den gravgata vi tidigare sett honom utföra för tredje och sista akten till *Elektra*

77

Solens tempel, scenbild till "Cora och Alonzo", akt I

Penna och grått bläck, lavering i brunt
och grått, akvarell, 555 × 690

DROTTNINGHOLMS TEATERMUSEUM, INV NR 26/1974

(kat.nr 71). Vi känner omedelbart igen kryssvalvet i höjden, likaså den långa, sugande peristylen eller kolonngången i mitten. Även bakgrundens välvda, kassetterade portöppning är bekant från den tidigare offerscenen vid Agamemnons grav. Den pyramidala överbyggnaden har emellertid skalats bort och ersatts med ett rundtempel med en strålande sol i zenit – ett Solens tempel.

Den andra dekoren Desprez utförde för operan gällde akt två, där *Theatren föreställer et landskap utanför murarne af Prestinnornas boning. Den är omgifven af höga träd. En del af denna byggnad synes på ena sidan uti fonden och på andra ett högt berg.* Tidpunkten är sen eftermiddag, det börjar skymma på.

Desprez' förslag finns bevarat i ateljékopia, eller möjligen i original, i Nationalmuseum. Här har han övergivit en rent frontal blickpunkt och i stället valt att återgå till den typ av diagonala scenbilder han tidigare bl a presenterat för *Gustaf Wasa.*

En dalande sol i akvarellens bakgrund kastar ett intensivt, senapsgult sken kring en snedställd, fyrkantig gård med en springbrunn i mitten. Längs väggar och fasader reflekteras det och avslöjar en rektangulär och komplex anläggning, med långa, axiala längor och öppna arkader, vilka med jämna mellanrum blandas med några rytmiskt inskjutna risaliter.

Kring enskilda byggnadsdetaljer, som kapitäl, lister, valvomfattningar och blinderingar, har Desprez mejslat fram egendomliga ornament och solsymboler som liknar både kilskrift och kugghjul. Det är tydligt att han velat skänka miljön en egen identitet. Låt vara att han hämtade formerna ur egen fatabur.

Vissa detaljer från arkitekturen till *Cora och Alonzo* förekommer även i ett förslag till en *Ville Antique,* eller ideal, antik stad i Drottningholms teatermuseum. Den i brunt och grått hållna teckningen har allmänt ansetts

78

Prästinnornas boning, scenbild till "Cora och Alonzo", akt II

Blyerts, penna och svart bläck, lavering i grått, akvarell

550 × 688

NMH 1809/1875

PROVENIENS: J T Sergel

79

Antik stad, förslag till teaterdekoration

Blyerts, penna och svart bläck, lavering i grått och brunt, akvarell

344 x 525

DROTTNINGHOLMS TEATER-MUSEUM 327/1990

Signerad (ej egenhän-digt): *Desprez*

som ett original, men verkar ändå vara för schematiskt gjord för att riktigt övertyga. Signaturen är dessutom sekundär och inte egenhändig.

Men bortsett från dessa frågor som berör upphovs-mannarätten, är det bl.a. en av risaliterna från inka-prästinnornas gårdsanläggning som kantar uppfarten till Desprez' ideala metropol.

Per Bjurström har kunnat visa hur det framför allt varit en antik ort, Praeneste, med rester av ett gigan-tiskt Fortunatempel under avlagringar av modernare bebyggelse, som sedan renässansen och framåt spor-rade arkitekterna till rekonstruktionsförsök. Bland Desprez' teckningar från den italienska perioden fann han dennes förslag och kunde visa att det varit denna bild som tjänat som förelaga till teaterdekorens antika stad.

I och med att Desprez slutförde dekorationerna för *Cora och Alonzo* inträffade under några år ett nästan totalt stopp i den teatrala produktionen. Det var kriget 1788–90 mot Ryssland som kom emellan, med en förödande brist på kontanta medel för annat än det kampanjen krävde. *Operan har tystnat, de franska spektaklena äro glesa. Dramatiska teatern går en gång i veckan,* skrev statssekreteraren Elis Schröderheim den 18 juli 1789 till kungen i fält i Finland.

DE SISTA UPPDRAGEN

Kriget, som Gustav III i närmare tio års tid väntat på och systematiskt förberett genom att bygga ut sjöstridskrafterna, bröt ut den 28 juni 1788, när hans egna soldater, utklädda till kosacker gjorde en räd mot en gränspostering i Savolax.

Segerviss, men samtidigt litet skrockfull lät han redan den 23 juni skeppa över sig till Finland ombord på den kungliga jakten "Amphion", det datum Gustav II Adolf enligt Axel Oxenstierna avseglat till det trettioåriga kriget i Tyskland. För att föreviga de kommande bataljerna lät monarken engagera en rad olika konstnärer. Till och med i vissa militära utnämningar tycks artistiskt kunnande ha vägt tyngre än andra meriter. Även Desprez fick sommaren 1789 order att ta sig över till den östra rikshalvan inför den planerade erövringen av den viktiga gränsfästningen Fredrikshamn. Av olika anledningar kom emellertid anfallet av sig och skedde först året senare, när Desprez redan hunnit lämna landet. Under uppehållet hann han i alla fall med att i två laveringar skildra det första, föga ärorika slaget vid Svensksund den 24 augusti och ge en vy över den väldiga befästningen Sveaborg, vid inloppet till Helsingfors.

När kungen i sitt propagandistiskt upplagda krig inte längre behövde hans tjänster, utnyttjade Desprez den rättighet hans kontrakt gav honom att under en kortare tid få vistas utomlands. Via Stockholm reste han omgående till London, där han stannade fram till våren 1790. Vad som lockade honom var förutom ära, prestige och pengar förknippat med hans dubbla roll som aktivt utövande scenograf och arkitekt.

Den 17 juni hade nämligen en av den engelska metropolens mer berömda scener, King's Theatre, brunnit ned till grunden. Desprez med sin fantasifulla, visionära kraft, men samtidigt ringa förståelse för praktiska lösningar, hade hoppats få återuppföra den efter ritningar han gjort upp, men uppdraget gick till en polsk arkitekt. Någon gång i april 1790 återvände han därför besviken till Sverige. Han stannade några månader i Göteborg för att uppföra en pantomim, *Vulcani utbrott*, han inspirerats till av engelsk teater (se sid 140 ff).

Tillbaka i Stockholm och Operans verkstäder, där han manövrerats bort från en del av sina tidigare maktbefogenheter, återstod för honom egentligen endast ett uppdrag för Operans scen. Det gällde nyuppförandet av *Drottning Christina* den 1 november 1792, med en ensemble hämtad från Dramatiska teatern.

I sin verkförteckning över alla de teaterdekorationer han hann utföra i Sverige, skriver Desprez att han för detta tillfälle komponerat dels en *Grand vestibule*, dels en *Sallon Gothique*. Båda säger han vara *composé sur la place*, vilket torde innebära att man återanvände redan befintliga dekorationer, men kompletterade dem med nya element.

Som Operans dekorinventarium utvisar, togs kulisser från två helt andra föreställningar, nämligen *Gustaf Wasa* och *Gustaf Adolf och Ebba Brahe*.

Den magnifika förhall eller *Grand Vestibule* Desprez till uruppförandet 1785 byggde upp för Slottskapellet i tredje akten ersattes med dekoren till *Förnämsta salen på Slottet* i *Gustaf Wasa*. Man gjorde dock om fondpartiets rundel. På motsvarande sätt var den götiska sal som nämnts hämtad från vestibulen på Kalmar slott i första akten till *Gustaf Adolf och Ebba Brahe*.

Återstår så endast ett större teaterprojekt att redovisa. Det gäller *Dido och Aeneas* eller *Aeneas i Kartago*, en lyrisk tragedi i fem akter efter en idé av Gustav III, som bearbetas av Kellgren och som hovkapellmästaren Josef Martin Kraus satt musik till.

Ända från begynnelsen vilade något av en förbannelse kring dramat med den trojanske hjälten Aeneas' kärleksförbindelse med drottning Dido i Kartago. Redan 1782 var pjäsen påtänkt som invigningsprogram för Adelcrantz' nya operahus, men vissa omständigheter lade hinder i vägen. Nästa gång en uppsättning kom på tal var hösten 1790.

Först den 18 november 1799, således långt efter det att upphovsmannen, Gustav III, var död och Desprez kopplats bort från institutionen, kunde så äntligen verket uppföras på Operans scen. Dekorerna motsvarade emellertid inte de uppgjorda skisserna och förlagorna. Utförandet stod förmodligen under Brusells ledning och resultatet blev så bedrövligt att publiken svek.

I Lunds universitetsbibliotek, bland papperna efter släkten De la Gardie, finns i koncept bevarat ett manuskript, som på punkt efter punkt går igenom de färdiga scenbilderna och jämför resultaten med vad scenografen åstundat i sina tecknade och akvarellerade skisser. Varje detalj i miljöbeskrivningen som mankerade eller utförts på ett klåparaktigt sätt, menade den anonyme författaren, kunde enbart dra löjets skimmer över vad som försiggick på scen. Det kan näppeligen ha varit någon annan än Desprez, som med sådan ironisk skärpa och detaljkunskap fört pennan.

81

80

Aeolus' klippa, scenbild till prologen i "Aeneas i Kartago"

Penna och svart bläck, lavering i grått, akvarell
352 × 521

NMH 51/1874:88
PROVENIENS: Oscar I:s samling

81

Trojanska flottan, scenbild till prologen i "Aeneas i Kartago"

Penna och svart bläck, lavering i grått och svart, akvarell
380 × 525

NMH 51/1874:89
PROVENIENS: Oscar I:s samling

Genom ett brev från Edelcrantz, andredirektör vid de kungliga spektaklerna, daterat Stockholm den 28 april 1790 och ställt till Gustav III i Finland, vet vi att Desprez varit klar med sina dekorförslag när han kom hem från England: *Desprez är på återresa hit via Göteborg, hans huvud och fantasi är fulla av nya idéer, som han brinner av att få utföra. Han har gjort två olika förslag för varje dekoration till Dido.*

Inalles rörde det sig om, som Desprez uppgivit i sin verkförteckning, tjugotre blad, av vilka i dag åtta är kända i original och många i kopior.

I inledningen eller prologen föreställer teatern *en stor klippa midt i hafvet*. På det stormpiskade skäret sitter Aeolus, vindarnas härskare, och håller nordanvinden fånge vid sina fötter. När Bore så småningom släpps lös förändras scenbilden. Klippan sjunker ned i havet

och i stället ser man den trojanska flottan uppenbara sig vid horisonten. *Stormen tilltager, och man hör på långt håll Matrosernes och Vädrens blandade Chorer*, tillfogar scenanvisningen.

Nästan som fångad genom bländaröppningen på en kamera verkar Desprez' vision av scenen vara. Överallt rasar elementen, himmel och hav går i ett, men i stormens öga råder behärskat lugn. Bland glittrande vågor länsar den trojanska flottan fram med bukiga segel och smällande vimplar. Allt är noga kolorerat med utsökta nyanser i enbart blått.

Under den följande scenen drar ovädret över och trojanerna kan stiga iland vid Kartagos kust.

Med nästa tablå inleds den första akten, som utspelar sig i en åt gudinnan Juno helgad skog med ett stort tempel. *Portiken hvilar på 8 Corintiska pelare af hvit mar-*

mor, mellan hvilka man blir varse det inre af Templet, anger scenanvisningen. Här inne finns förutom en piedestal, ämnad för gudinnans votivbild, även en tron rest åt drottning Dido.

Ett av Desprez' förslag med en högrest, klassisk portik framför en halvcirkelformad länga omgiven av två rostrakolonner finns känt i en valhänt kopia i Nationalmuseum. En variation på temat i ren linjeteckning av eleven Ingemar Sunesson förvaras i Drottningholms teatermuseum. Enligt uppgift hos Wollin skulle även ett original stå att finna, men detta har inte kunnat spåras.

Med ett hastigt kulissbyte inför andra aktens första scen förändras scenen till att föreställa en helig skog, vigd åt jaktens gudinna, Diana. *Mitt i fonden synes ett Berg, från hvilket flere strömmar störta sig. Dianas Statue står vid ena sidan af Theatern.*

I Desprez' version blir landskapet både pastoralt och vilt. Det har dessutom en tydlig uppdelning av bildrummet i förgrund, mellanplan och fond. Mitt i bilden dyker även Foucquets bronslejon upp. Genom skogen kommer det tassande. Intressant att notera är också att Desprez för scenbilden varit inspirerad av en reell anläggning som ungefär samtidigt kom till utförande i Drottningholmsparken, Dianas ö.

De färdiga kulisserna hörde till dem som kraftigt kritiserades vid uppförandet 1799. Man menade att de saknade perspektiv och inte gav tillräcklig illusion av skimrande grönska och rinnande vatten.

Kritiken var inte mindre skarp när det gällde dekorationerna för den andra aktens tredje scen, föreställande *en enslig grotta, igenom hvilken man blir varse den tjocka och mörka skogen* och på avstånd hör larmet från ett drev med jägare som drar förbi. De gav, som man ansåg, endast uttryck åt *la stérlité de l'imagination,* eller

en allmän fantasilöshet. Även Desprez' förlaga känns litet torr och är med sina kristalliniskt utformade klippväggar bara en upprepning av vad han tidigare åstadkom i grottscenen för *Armida* (kat.nr 68).

Med den tredje akten för oss handlingen in i själva staden Kartago. Den inledande scenen, som ströks vid framförandet 1799, utspelar sig vid dess stora torg med drottning Didos palats som ett väldigt blickfång i bakgrunden.

Från torgets exteriör förflyttas vi i den tredje scenen in i en magnifika audienssal på det kungliga slottet: *På ena sidan ser man Drottningens Thron, den hon går att intaga, omgifven af sina Hofdamer. Afrikanska Sändningsbådet med en stor svit, anförd af Carthagos Hofmän, träder in från fonden. Aeneas kommer in från ena sidan af Theatren.*

Desprez har i sitt förslag för rummet utformat en romersk basilika efter Vitruvius' principer. Uppe under ett platt, men rikt dekorerat tak med kraftigt bjälklag, silar ljuset in genom små fönsteröppningar och avslöjar ett överdåd av prakt. Mittskeppets kolonner är utsökt marmorerade i blått och deras kapitäl tillsammans med övervåningens karyatider och rosetterna i taket förgyllda. Bakgrunden upptas av en absid med en nischformad skärmvägg framför sig, där en staty är placerad. Drottningen sitter på en rosa tron, som vilar på ett podium och har en himmel över sig. De utländska sändebuden i röda och blå mantlar bär i procession fram gåvor till henne. Allt är känsligt, nästan litet nervöst återgivet med ytterst tunna streck från Desprez' bläckpenna.

Den femte scenen i tredje akten är förlagd till en rosenträdgård intill det kungliga slottet. *Under en blomsterhäck midt på Theatren står ett Altare af Hvit Marmor... invigd åt Hymen och Kärleken,* meddelar scenanvisningen. Desprez har för ändamålet skapat en liten grottformad

83

82

Dianas lund, scenbild till "Aeneas i Kartago", akt II, scen 1

Penna och svart bläck, lavering i grått, akvarell
376 x 537

NMH 51/1874:91
PROVENIENS: Oscar I:s samling

83

Enslig grotta, scenbild till "Aeneas i Kartago", akt II, scen 3

Penna och svart bläck, lavering i grått och svart, akvarell
360 x 527

NMH 51/1874:90a
PROVENIENS: Oscar I:s samling

lövsal bland vildvuxna buskar och lummiga träd och litet behändigt placerat en amorin bredvid. När förslaget realiserades fick det utstå hård kritik för att dekorationsmålarna slätat ut staffaget till att mera påminna om *de moderna häckar som kantar uppfarten till någon rik uppkomlings hus.*

Inte heller var kritikerna nöjda med hur dekorationerna till den inledande scenen i fjärde akten utformats, föreställande hamnen i Kartago. Desprez tycks i sitt förslag, som bevarats i kopia i Nationalmuseum, ha givit en veritabel provkarta på alla de element som ingick i den nyantika arkitekturtraditionen. Här återfinns såväl rena antikparafraser, som de obelisker, kolonner, runda och fyrkantiga torn samt de tunga

84

Didos audienssal, scenbild till "Aeneas i Kartago", akt III, scen 3

Penna och svart bläck, lavering i grått, akvarell

340 × 515

NMH 44/1928

underkonstruktioner tiden älskade att para ihop som legoklossar, utspridda längs en bred strandväg.

Men det kritiken tog fasta på var att de på scenen framställda, fristående masterna till trojanernas skepp, som skymtar till vänster i Desprez' bild, varit alltför illa proportionerade i förhållande till den omgivning kulisserna återgav.

Hamnen i Kartago, scenbild till "Aeneas i Kartago", akt IV, scen 1. Kopia av okänd hand i Nationalmuseum (NMH 1808/1875)

95

Mästerverket framför andra i pjäsen är ändå dekorförslaget till den fjärde aktens femte scen, en bataljskildring utanför vad som i scenanvisningen kallas *Förstaden af Carthago*, eller översatt till modernt språkbruk de yttre värnen. Här känner man hur det blixtrar till om Desprez. Med djärva, hastiga streck från bläckpennan och stora tag från lavyrpenseln målar han i sned vinkel upp en väldig, medeltida försvarsanläggning, som stormas av män i antika rustningar ombord på antika skepp.

Att han verkligen med liv och lust gick in för uppgiften vittnar teckningen i Nationalmuseum om, där han till och med vänt på bladet för att på baksidan spegelvänt teckna om kompositionen för att utröna vilken vinkel som gav bäst resultat på teatern eller möjligen för att låta gravera den.

Detta är Desprez, när han är som bäst som scenograf.

85

Kartagos fästningsmurar, scenbild till "Aeneas i Kartago", akt V

Blyerts, penna och svart bläck, lavering i grått och svart, akvarell
495 × 565

NMH 155/1891
PROVENIENS: Chr Eichhorn

Verso: samma motiv fast i spegelvänt utförande och laverat med rött bläck

Arkitekten

Magnus Olausson

När Gustav III under hösten 1787 började anlita Louis Jean Desprez som arkitekt hade den franske konstnären inte ägnat sig åt byggnadskonst på nära nog tio år. Ändå var Desprez alls ingen oprövad kraft inom denna konstart. Han hade ägnat nästan tjugo års studier åt arkitektur och grafik.

1765 omnämns Louis Jean Desprez för första gången i den franska arkitekturakademiens handlingar, men hans konstnärliga studier tog helt säkert sin början långt tidigare. Om Desprez verkligen hade varit en nykomling, skulle han nog inte ha anställts som ritlärare vid krigshögskolan (Ecole Militaire) redan följande år (1766). Bland hans egna lärare finner man flera välkända arkitekter som Jacques-François Blondel eller Charles de Wailly, men även den mer ordinäre Pierre Desmaisons.

Om Desprez' grundläggande skolning är föga känt. Sedan Desprez regelbundet börjat deltaga i akademins pristävlingar blir han dock snart ett namn att räkna med. I november 1765 erhöll han sin första utmärkelse i akademins pristävling. I maj 1766 blev han åter belönad. Prisämnet var denna gång *Interiörutsmyckning av ett galleri i en herremans palats*. Redan nu får Desprez

rykte om sig att vara mer bildkonstnär än arkitekt, åtminstone om vi får tro hans lärare Blondel: "Äger mycken talang, men icke till fyllest och tycks /dessutom/ mer lämpad för målarkonsten än arkitekturen."

I november samma år blev han på nytt belönad för *Projekt till minnestempel ämnat att hysa askan efter Konungar och Stora Män*. Genom att projektet graverades några år senare av den unge Louis Gustave Taraval får man en god uppfattning om hur hans tidiga försök inom arkitekturen tedde sig. Det anmärkningsvärda med Desprez' förslag är hur hastigt han anammat den stränga nyklassicismen. Samma formelement har visserligen upprepats i det oändliga, men Desprez har ändå lyckats balansera den monotona horisontaliteten genom att bryta av med obelisker, små laterniner samt en stor pyramid. 1770 dristade sig Desprez till att dedicera projektet till ingen mindre än Voltaire. Den store filosofen uttryckte beundran för Desprez' förslag men tillade samtidigt med en bitande ironi, som inte kan ha undgått brevmottagaren, att han drevs av en stor åstundan att genast bli begravd i det sköna monumentet.

Av detta kan man dra den slutsatsen att den unge Desprez både var målmedveten och äregirig. Men

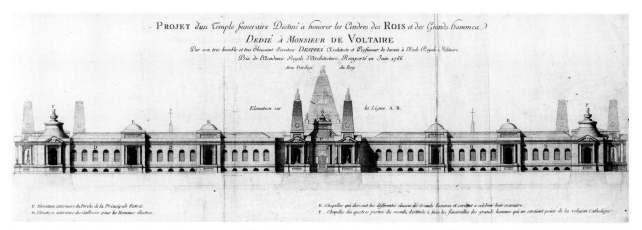

I november 1766 blev Desprez belönad för ritningarna till ett "minnestempel över konungar och Stora Män". Fyra år senare graverades förslaget av Louis Gustave Taraval varvid Desprez dristade sig att tillägna Voltaire sitt storstilade projekt. Paris, Bibliothèque Nationale

Desprez' vinnande förslag till det stora Rompriset 1776 skiljer sig mycket från samtida arkitektur, inte minst genom det ålderdomliga mansardtaket. Paris, Ecole Nationale Supérieure des Beaux-Arts. Foto ENSBA

genom läraren Jacques-François Blondels uttalanden vet vi att Desprez' egensinne låg honom i fatet. Desprez saknade knappast idéer, tvärtom. Hans otyglade fantasi och självständiga lösningar visar dock att han redan under studieåren vägrade låta sig fösas in i samma fälla som de övriga akademieleverna. 1769 blev därför Blondels omdöme följande: "Låter sig alltför mycket förledas av sin glödande fantasi." Smidighet verkar inte ha legat för honom, vare sig nu eller senare. Kanske bidrog detta till att det skulle dröja hela tio år innan Desprez belönades med det stora Rompriset (*le Grand Prix de Rome*), trots att han av alla betraktades som den mest begåvade eleven. 1771 var det mycket nära att Desprez hade fått priset, men han misslyckades. Hans tävlingsförslag recenserades år 1772 i *Mercure de France*, som gav honom följande betyg: "skapat med den största lätthet, fyllt av smak men i föga överensstämmelse med tävlingsprogrammet". Det var tydligt att Desprez betraktades som snillrik, men han följde inte den givna mallen.

STORA ROMPRISET

Först år 1776 erövrade Desprez det prestigefyllda priset, som skulle möjliggöra några viktiga studieår vid franska konstakademien i Rom. Detta skedde i konkurrens med tretton andra akademielever. Prisämnet var *Ett slott för en herreman*. Desprez' segrande förslag har återfunnits först i nutid. Det är en i många avseenden

märklig arkitektur som tydligt skiljer sig från det mesta som gjordes av samtida.

I tävlingsprogrammet föreskrevs att palatsets tak skulle framhävas. Denna detalj tog Desprez uppenbarligen fasta på. I sitt förslag har arkitekten valt en typ av taklandskap som omhuldades av François Mansart under 1600-talets förra hälft. Desprez' val av arkaiserande former har förvånat nutida arkitekturhistoriker, men faktum är att denna gamla franska tradition med branta takfall levde vidare under 1700-talets mer klassicerande epok. Det räcker med att nämna Jacques-Ange Gabriels Ecole Militaire. Icke desto mindre finner man i Desprez' projekt ett personligt anslag. Myckenheten av skulptural utsmyckning, av närmast barock karaktär, var uppenbarligen Desprez' eget val. Detta, liksom den arkaiserande stilen i övrigt, visar att han som arkitekt hade en tydlig dragning åt eklekticism. Desprez tycks heller inte haft något emot att citera sig själv. Långt senare skulle han som Gustav III:s hovarkitekt använda samma ryttarskulpturer och fackelbärande kvinnogestalter som redan förekommer i hans vinnande palatsförslag 1776. (Jfr s 105)

Desprez var med sina 33 år relativt gammal som pristagare och han väntade därför otåligt på resan till Rom. Egentligen skulle han inte ha fått tillträde till sin stipendiatsbostad förrän i oktober 1777. Desprez vände sig därför till överintendenten, greve d'Angiviller, med en anmodan om att få tidigarelägga sin avresa till Rom. Han hade emellertid ännu en önskan: att låta sin hustru, Anne Vermale, medfölja. Detta vållade d'Angiviller huvudbry, eftersom arkitektens önskemål direkt stred mot statuterna. Däremot var han villig att låta Desprez resa tidigare. I mars 1777 gav han order om att man t.o.m. kunde låta hyra en våning för Desprez' räkning under den mellanliggande tiden, allt på statens bekostnad.

För att inte vara overksam under perioden fram till avresan sysselsatte sig Desprez med sin gamla specialitet: att gravera arkitektur. Bl.a. utförde han flera stick som avbildade interiörer i Palazzo Serra i Genua, som ritats av hans mentor Charles de Wailly. I Desprez' tidiga arkitektkarriär är de Waillys namn viktigt. Denne 13 år äldre kollega skulle inte bara ge Desprez viktiga impulser som arkitekt utan kom även att påverka honom som teaterdekoratör. Desprez, som med största säkerhet utförde teaterdekor tillsammans med Servandoni-eleven de Wailly, har även graverat ett dylikt sceneri – *le Palais de Céleste*. När Desprez reste till Rom, var han därför inte en oprövad kraft, vare sig som arkitekt eller som scenograf.

I slutet av sommaren 1777 hade Desprez hunnit installera sig i Rom. Han skulle formellt ha blivit fullvärdig stipendiat i oktober, men snart kom annat än arkitekturstudier emellan. Desprez blev raskt enga-

En jämförelse mellan Charles de Waillys sceneri till "le Palais de Céleste", graverat av eleven Desprez (Paris, Institut Tessin), och de arbeten som den senare utförde under Sverigeåren såsom "Cora och Alonzo" (Drottningholms Teatermuseum) vittnar om den påverkan som barockens teaterdekor hade på Desprez. (Jfr kat.nr 77)

gerad för illustrationerna till abbé de Saint-Nons stora verk *Voyage pittoresque, ou description des royaumes de Naples et de Sicile*. Detta arbete skulle hålla honom sysselsatt i mer än två års tid, samtidigt som arkitekturstudierna blev försummade under lika lång period. Redan i december 1777 reste han söderut.

Louis Jean Desprez var bildkonstnären som blivit arkitekt. I och med engagemanget som illustratör för det stora bokverket om Syditalien kunde han förena bägge dessa specialitéer. Arkitektur utgjorde en icke obetydlig del i de sevärdheter som han skulle dokumentera. Det anmärkningsvärda med Desprez var att han intresserade sig inte enbart för de imponerande lämningarna från grekisk och romersk antik utan även för de perioder som låg mycket närmare i tiden, såsom den normandiska gotiken och barockarkitekturen. Det är betecknande för Desprez, att när han blev illustratör, såg han på byggnader med en arkitekts ögon. Desprez sökte sålunda inte bara efter de motiviska enskildheterna utan han ägnade minst lika mycken möda åt de rumsliga egenskaperna. I sina skissböcker har han ofta tecknat planen till olika byggnader samt försett dem med måttangivelser jämte fasad- och sektionsritningar. Först i efterhand tillfogade Desprez pittoreska effekter, staffage, något som uppdragsgivaren ständigt efterfrågade. Även de rekonstruktioner av antika eller medeltida ruiner som Desprez gjorde under resans gång var uttryck för hans skolning som arkitekt. Därtill kommer att Desprez också verkar ha arbetat med egna arkitektoniska projekt under och efter vistelsen i Syditalien, eftersom det bland reseskisserna smugit sig in utkast till palats och tempel. Desprez har alldeles tydligt blivit inspirerad av formspråket i den rika och samtidigt brokiga floran av neapoli-

tansk och siciliansk arkitektur. Bl.a. förekommer en märklig tornskapelse som han långt senare, under sin svenska tid, både skulle använda i dekoren till operan *Aeneas i Carthago* och en historiekomposition.

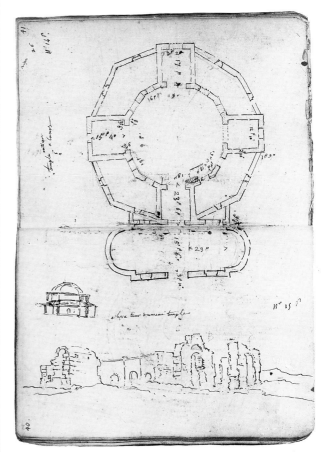

Desprez' förmåga att snabbt uppfatta arkitektoniska sammanhang framgår tydligt av detta skissboksblad där konstnären återgivit ruinen av en gammal kyrka i Canosa samtidigt som han gjort ett försök till rekonstruktion. Konstakademien

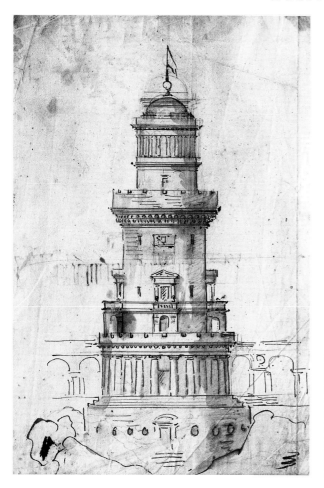

86
Utkast till fyrtorn
Penna och brunt bläck, lavering i brunt,
350 × 235
NMH 199/1980

Den vidsynte överintendenten, greve d'Angiviller, bortsåg säkert inte från den arkitektoniska potential som låg i Desprez' syditalienska studier, även om detta formellt stred mot tanken med Romstipendiet. Desprez fick därför dispens för att kunna ägna sig åt abbé de Saint-Nons verk. När konstnären hade avslutat resan i slutet av år 1778, fick han åter anstånd med de avbrutna arkitekturstudierna för att kunna bearbeta skissmaterialet och utföra de slutgiltiga gravyrförlagorna.

Trots det nästan faderliga beskydd som greve d'Angiviller visade Desprez var konstnären väl medveten om att han inte kunde tänja på dennes välvilja i det oändliga. I september 1781 sände han därför två arkitekturprojekt till greve d'Angiviller. För att även fortsättningsvis hålla sina överordnade på gott humör lämnade Desprez in ytterligare ett förslag följande år (1782). Denna gång var ämnet publika bad. Ritningarna har bevarats i Ecole des Beaux-Arts och ger en

I denna teaterdekor till "Aeneas i Karthago" 1790 återkommer Desprez' gamla förslag till ett fyrtorn som han utförde under Italienåren. NM (Bilden något beskuren)

god uppfattning om Desprez' mångsidighet som arkitekt. Han framstår här som en renodlad nyklassicist: kolonnader, slätputsade fasader nästan utan någon form av dekor. I det inre av byggnaden var arkitekten lite mer frikostig. Här förekommer än fler kolonner, kassetterade valv och en kupol à la Pantheon. Någon större originalitet utmärker dock inte Desprez' förslag. Tvärtom verkar han ha satt samman sitt badhusprojekt efter ett redan välkänt recept, pliktmässigt och utan inlevelse. Sitt engagemang hade han på annat håll vid denna tidpunkt. Sedan 1781 ägnade sig Desprez åt att förkovra sig som målare. Den alltid förstående d'Angiviller tyckte också att Desprez' val var naturligt med tanke på att "livligheten i hans fantasi var mer ändamånsenlig för måleriet än för arkitekturen." Han skulle heller inte ägna sig åt byggnadskonsten förrän han blev Gustav III:s hovarkitekt.

EN TEATERDEKORATÖR BLIR KONUNGENS FÖRSTE ARKITEKT

I samband med att Desprez' tvåårskontrakt löpte ut våren 1786 skrev Sergel till den nyutnämnde direktören för Kungliga Teatern, Gustaf Mauritz Armfelt, för att be denne börja förhandla med konstnären om en förlängning. I sitt brev framhöll Sergel att Sverige inte kunde undvara en så mångsidig begåvning som Desprez, allra helst som han inte bara var en genial teaterdekoratör utan även en skolad arkitekt. Detta var säkert inte bara Sergels mening utan även Gustav III:s åsikt. I takt med att kungens teaterplaner även flyttades utanför det sceniska rummet i samband med hov-

87

Bild från karusellen 1785

Penna och grått bläck, lavering i grått, 350 × 450

fester, såsom karuseller, illuminationer m.m., ökade också hans behov av Desprez' insatser. Sålunda hade Kungliga Teaterns dekorationsmålare under Desprez' ledning använts vid uppbyggnaden av kulisser och rekvisita för karusellen på Drottningholm 1785. Följande år, när grundstenen lades till det nya Hagapalatset, firades revolutionsdagen den 19 augusti med en illumination på Drottningholm, där Munckens backe, i fonden av lustträdgården, pryddes av en jättelik kuliss målad av Desprez, föreställande "Rome antique".

När man i det nya kontraktet föreskrev att Desprez inte endast skulle komponera teaterdekorationer för sceniskt bruk utan även lämna förslag till festliga anordningar, var detta bara en formalisering av ett redan existerande förhållande. Ansvaret att utföra dekor för hovfester föll egentligen på Jean Eric Rehn, men tydligen ansåg Gustav III att den åldrige hovintendenten inte längre var helt att räkna med. Därför blev Desprez alltmer engagerad.

Den 19 augusti 1787 skulle bron mellan Lovön och Kärsön invigas. Uppdraget att ordna med festarkitekturen gick till Desprez, som för ändamålet bl.a. återanvände den stora fonden med "Rome antique" från illuminationen i parken föregående år. Denna var placerad vid det östra brofästet. Desprez utökade rekvisitan med två gravvårdar, som fått en teatral utformning: "en general som dör i strid" respektive "slaf gråter sin Maître". På motsatta sidan av vägen hade

Desprez låtit resa ett tempel som inte var helt olikt det i Paestum. I skenet av de fladdrande lågorna från de stockeldar, som skulle tändas i förgrunden, lär både

88

Festdekor vid invigningen av Kärsö bro, 1787

Penna och grått bläck, lavering i grått, akvarell, 379 × 540

Slottsarkivet, Drh II:115

Påskrift: förklarande text med litterering A-S (av C F Adelcrantz' hand ovanpå Desprez' franska version).

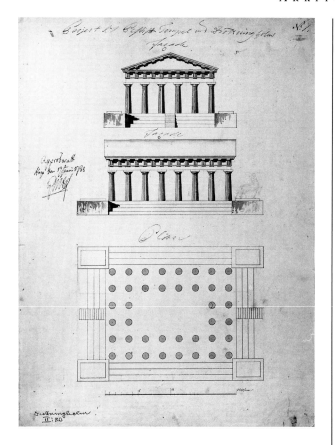

89

Projekt till paestiskt tempel vid Drottningholm. Fasader och plan, 1788

Penna och grått bläck, lavering i grått, akvarell, 524 × 375

SLOTTSARKIVET, Drh II:80

Påskrift: *Project til Pestiskt Tempel vid Drottningholm* etc (CC Gjörwells hand) samt *Approberatt Haga den 17 Juni 1788 Gustaf.*

vyn av det antika Rom och det paestiska templet ha avtecknat sig på ett mycket suggestivt sätt.

Tempelgaveln var visserligen en kuliss, men plastiskt utformad, för att ge illusion av en verklig byggnad. Gränsen mellan scenisk dekor och arkitektur synes här ha upphävts. Möjligen var det denna flytande skala mellan illusionistisk och verklig byggnadskonst som definitivt fick Gustav III att upptäcka Desprez som arkitekt.

Desprez' engagemang på arkitekturens område kom inte plötsligt utan växte i all tysthet. Det är t.ex. inte känt vilket byggnadsprojekt som var Desprez' första uppdrag. Kanske blev han redan i slutet av våren 1787 ombedd att utforma en ny fasad till Dragoncorps-degardet i Hagaparken. Uppenbarligen var inte Gustav III nöjd med Olof Tempelmans första förslag, som han redan godkänt, utan han ändrade sig. Tempelman var därför den förste inhemske arkitekt som på detta sätt skulle bli åsidosatt p.g.a. kungens skiftande smak. Officiellt fortfor dock Tempelman att stå som huvud-

ansvarig arkitekt för det stora palatsbygget. Det faktum att Desprez redan hösten samma år började verka i det fördolda framgår av eleven Fredrik Samuel Silfverstolpes kopior, som även inbegriper olika förslag till Hagapalatset. Troligen anlitades Desprez redan nu även i Gustav III:s projekt för Drottningholm. Bland den 18-årige Silfverstolpes studiematerial finns nämligen ett byggnadsprojekt, som äger stora likheter med det senare uppförda Götiska tornet.

Det informella samarbete som rådde vid denna tid mellan Gustav III och hans "skuggarkitekt" Desprez var uppenbarligen mycket förtroligt. I början av år 1788, då Desprez ännu saknade varje form av kunglig fullmakt som arkitekt, förklarade han i ett brev till den franske överintendenten, greve d'Angiviller, att han av kungen tillfrågades i snart sagt varje offentligt byggnadsärende. Även om Desprez kraftigt överdrev sin egen betydelse, började han snart bli överhopad av så många uppdrag att en assistent utnämndes i februari samma år (1788), Carl Christoffer Gjörwell d.y. Först den 12 maj bekräftades Desprez' ställning som Gustav III:s förste arkitekt genom en formell utnämning. Han hade då inte enbart fullbordat projekt för Haga och Drottningholm utan även ett ombyggnadsförslag till Skara domkyrka, som kungen godkänt en vecka tidigare.

HAGA

Desprez var långtifrån den förste arkitekt som anlitats av Gustav III för att rita en ny större bostad åt kungen på Haga. Innan Olof Tempelman fick uppdraget 1786, hann både Carl Fredrik Adelcrantz och Fredrik Magnus Piper lämna olika förslag. Under hela den tid som dessa arkitekter arbetat med ett tilltänkt Hagaslott, hade kungens önskemål skiftat. De olika projekten inbegrep allt ifrån ett mindre lustslott, kasino, till ett stort vidlyftigt palats. Piper skulle visa sig vara mest uthållig i sina försök att vinna Gustav III:s gunst. Redan före kungens italienska resa hade Piper gjort upp planer till ett kasino. Sedan Gustav III kritiserat detta förslag, reviderade arkitekten ritningarna och sände dem till Rom i hopp om en positiv utgång. Vad Piper troligen inte visste var att en fransk arkitekt, Léon Dufourny, redan kontrakterats i Rom våren 1784 för att göra upp nya planer för ett lustslott vid Haga. Samtidigt fick Dufourny de piperska ritningarna som underlag. Men den franske arkitekten arbetade inte särskilt snabbt och i detta läge inkom Piper med ett nytt förslag, dock utan framgång.

90

Mellersta koppartältet eller Corps de garde vid Haga. Fasad, 1787

Penna och brunt bläck, akvarell, 385 × 540

KONSTAKADEMIEN, De-1

Påskrift: *Despréz* (F.M. Pipers hand).

Det mesta talar för att Desprez' första bidrag till Hagaparkens byggnader inskränkte sig till en skärmfasad i form av ett romerskt fältherretält. Den godkända planen till samma byggnad, som förvaras i Slottsarkivet är nämligen utförd av Olof Tempelman.

I november 1785 hade alla förutsättningar radikalt förändrats i och med Gustav III:s inköp av grannegendomen Brahelund. Piper fick visserligen upprätta en ny generalplan, men något kungaslott föll aldrig på hans lott att rita. Uppdraget gick i stället till Tempelman. När Gustav III under högtidliga former lade grundstenen den 19 augusti 1786, på årsdagen av statsvälvningen 1772, hade man redan hållit på med schaktnings- och sprängningsarbeten sedan i början av sommaren. Den plats som slutligen utvalts var ett

91

Desprez' första projekt till Hagapalatset. Fasad, 1787

Penna och grått bläck, lavering i grått, 515 × 641

NMH THC 1919

92

Förslag till utökande av Hagapalatset med ett monumentalt trapphus i norr. Fasad och plan, 1789

Penna och grått bläck, lavering i grått, 472 × 620

NMH THC 1921

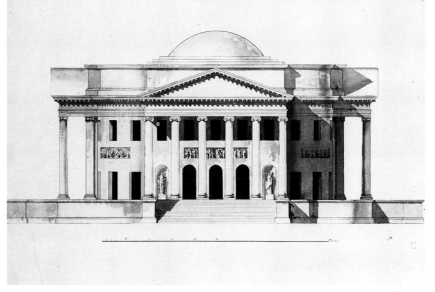

91

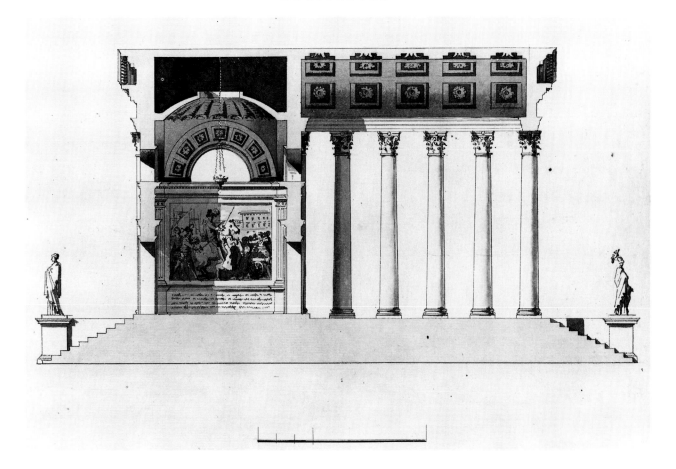

93

Förslag till Concordiatemplet på den sydligaste holmen vid Gamla Haga. Längdsektion, 1788

Penna och grått bläck, lavering i grått, akvarell, 290 × 370

NMH 252/1919

kuperat område nordväst om Brahelunds gård. Den nya slottsbyggnaden var tänkt att få samma symmetriska utformning som Palladios Villa Rotonda i Vicenza. Exteriören präglades i första hand av fyra kolonnportiker. I det inre var det mest dominerande inslaget en kupol i byggnadens mitt.

När detta arbete pågått i ett år, verkar det som om Gustav III började tveka om Tempelmans lämplighet som ansvarig arkitekt. Han fick visserligen kungens uppdrag att göra om Brahelunds gamla huvudbyggnad till en provisorisk bostad under den långa tid som palatsets uppfördes. Men redan någon gång under sommaren eller tidiga hösten hade Gustav III i all tysthet engagerat Desprez som sin "skuggarkitekt".

I och med att Desprez fick överta rollen som huvudansvarig arkitekt, var han bunden av de grundläggningsarbeten som redan utförts under företrädarens ledning. Han föreslog därför inga genomgripande förändringar. Till det yttre behöll han i stort sett Tempel-

mans lösning (se s. 103). Invändigt valde han emellertid att göra kupolrummet mer enhetligt genom att kolonnraden fick lämna vägglivet. I ett alternativt förslag var Desprez långt mer radikal, då han föreslog att rotundan skulle döljas bakom en imponerande krans av kolonner.

Det dröjde emellertid inte länge förrän hela palatsbygget fick en helt ny inriktning. Den ursprungliga idén med en centralbyggnad skulle visserligen ge en harmonisk, sluten form, men ytan hade i längden blivit alldeles för begränsad för Gustav III:s behov. Någon gång i början av år 1788 fick Desprez nya direktiv. Den rotunda som redan grundlagts skulle enligt de nya planerna byggas ut i väst- och östlig riktning med jättelika flygelarmar. På detta sätt skulle man både kunna tillskapa nya representativa utrymmen och erhålla större plats för en utökad hovhållning.

De mått som det nya slottet var tänkt att få kunde utan tvekan mäta sig med en arkitektonisk megalomani av nästan versailleska dimensioner. Desprez hade till den ursprungliga rotundan fogat hela 62 fönsteraxlar samt en imponerande skärmfasad åt söder, sammansatt av hela 60 korintiska kolonner. Det mest betydande rummet i byggnaden var fortfarande den väldiga mittsalongen, där 16 malakitkolonner skulle bära upp en kassetterad kupol, försedd med en rund taköppning (oculus) à la Pantheon. Genomgående hade Desprez lagt ned mycken möda på att ge palatset en representativ prägel, men när det gällde att lösa praktiska uppgifter lyckades han inte lika väl. Den bristfälligt lösta belysningsfrågan i de olika bostadsutrymmena visar på Desprez' svaghet som praktiker. Som arkitekt var han de stora linjernas man, enskildheterna tycks inte ha varit hans styrka.

Desprez var dessutom sysselsatt med en rad andra byggnadsprojekt för Haga. Den 31 mars 1788 hade Gustav III godkänt en utökning av Corps-de-gardet med ytterligare två flygelbyggnader, som även de skulle förses med teatrala tältfronter. Dessutom fordrade en utökad hovhållning en stor stallbyggnad samt en ekonomibyggnad. Sin vana trogen hade Desprez utformat den sistnämnda nyttobyggnaden på ett pittoreskt vis i form av en romersk ruin försedd med ett medeltida torn.

Ett samtida dokument visar, att Desprez efter Gustav III:s önskemål även utfört ritningar till en rad lusthus. Bland dessa märks ett Enighetens tempel eller Concordiatemplet, som skulle uppföras på den sydligaste holmen vid Gamla Haga. Valet av plats var symboliskt betingat och följde kungens historiska ödestro. Enligt Jonas Carl Linnerhielm skall Gustav III ha planerat statsvälvningen år 1772 i ett på platsen befintligt lusthus. Desprez' sektionsritningar visar också mycket riktigt att tempelcellan skulle prydas med en målning som skildrade denna händelse.

På den strategiskt belägna höjden mittemot Brahelunds gamla huvudbyggnad hade Gustav III för avsikt att placera ett annat fosterländskt monument, där han själv jämte de äldre gustaverna – Gustav Vasa och Gustav II Adolf – skulle framställas som Sveriges främsta regenter. På toppen av en jättelik kolonn à la Trajanus skulle dynastins "urgubbe" trona. Nedanför, på monumentets sockel hade Desprez tänkt placera de övriga två regenterna i form av två ryttarstoder. Monumentet hade dock ytterligare en funktion, nämligen att tjäna som ett belvedere. Vid kolonnens krön löpte en balustrad varifrån man skulle få en vid utsikt.

På en annan höjd ämnade Gustav III och Desprez uppföra ett Solens tempel. Valet av gudom föll sig naturligt med tanke på Gustav III:s vurm för Solkungen, Ludvig XIV. Måhända hade kungen också Nicodemus Tessin d.y:s förslag till Apollotempel i Versailles i åtanke. I motsats till det tessinska projektet var grundformen i Desprez' förslag rektangulär, men det fanns dock en gemensam nämnare: man föredrog glas som dominerande material. Kungen och Desprez hade emellertid inte endast nöjt sig med interiörverkan som i fallet med Tessins enorma speglar. De ville också att solljuset skulle spela i de jättelika glasade ytorna mellan pelarna. Enligt planerna skulle dessa glas troligen vara målade med zodiakens olika tecken. För att

94

Förslag till Solens tempel vid Haga. Tvärsektion, 1788

Penna och gråsvart bläck, lavering i grått, akvarell, 375 × 535

KONSTAKADEMIEN, De-7

Ljus- och fackelbärande genier förekommer redan i Desprez' vinnande förslag till det stora Rompriset 1776. Paris, Ecole Nationale Supérieure des Beaux-Arts. Foto ENSBA

öka verkan av ljusspelet hade Desprez helt strukit cellan. Han excellerade däremot i en annan arkitektonisk detalj: innertaket i form av tunnvalv och en flack kupol som välver sig över ett indraget galleri. Motivet med fackelbärande genier på balustraden var ett lån från Desprez' eget vinnande förslag till ett lantresidens för det stora Rompriset 1776. Härav får man en förklaring till varför Sergel komponerade en av sina få dekorativa skulpturer, *Ceres sökande Proserpina i underjorden.* Sergels biograf, Ragnar Josephson, antar att *Ceres,* som göts i ett antal exemplar, skulle användas vid olika kungliga fester. Desprez' förslag visar dock att dessa fackelbärande gestalter var ämnade för en mer permanent, arkitektonisk funktion.

Till det yttre skulle Soltemplet få en lika ymnig dekor som byggnadens interiör, med både fris och skulpturer av Pegasus på podiet för att ytterligare ange vilken gud som byggnaden var helgad åt.

För en eklektiker som Desprez tycks inget ha varit främmande: romanska rundbågar och kinesiska drakhuvuden kombinerades på ett fördomsfritt sätt i en annan trädgårdsbyggnad, det kinesiska templet eller paviljongen. Det vore dock en överdrift att påstå att detta lusthus, som Desprez ritade våren 1788, hör till något av hans främsta verk. Kinesiska paviljongen visar dock hur anpassningsbar Desprez var inför Gustav III:s förväntningar och önskemål. Byggnaden bör-

95

Förslag till bro med överbyggnad i form av ett tempel för en av kanalerna vid Gamla Haga. Fasad, ca 1789

Penna och grått bläck, lavering i grått, akvarell, 305 × 473
NMH 245/1919

96

De tre gracerna, skulpturgrupp avsedd för en av holmarna vid Gamla Haga. Fasad och plan, 1788

Penna och grått bläck, lavering i grått, akvarell, 472 × 280
NMH 203/1980

97

Kinesiska paviljongen, Haga. Fasad och plan, 1788

Penna och brunt bläck, lavering i brunt, akvarell, 503 × 326
NMH THC 1885

98

Amortemplet vid Haga. Fasader, 1788

Penna och grått bläck, lavering i grått, 530 × 295
NMH 248/1919

jade uppföras på den mellersta holmen vid Gamla Haga samma år (1788) men stod helt färdig först två år senare.

Här och var i parken planerade man dessutom att uppföra broar och olika monument. Över kanalen vid Gamla Haga skulle bl.a. en monumental bro byggas, krönt av ett litet tempel. Vidare var en skulpturgrupp, föreställande de tre gracerna, ämnad att pryda någon av samma holmar. Tydligen ansågs detta vara ett konstverk av mindre betydenhet, som ej skulle betunga den hårt anlitade Sergel. I stället skulle de tre skönheterna beställas i Italien, kanske i någon av verkstäderna i Carrara, som redan levererat antiker till Gustav III.

Däremot hade kungen sedan länge tänkt hylla Sergel som de antika skulptörernas like genom att skapa en enskild byggnad för dennes främsta verk, *Amor och Psyke*. Tanken på att bygga ett tempel för Sergels skulpturgrupp var förvisso inte helt oomtvistad. Detta låter oss Bellman ana långt senare, när han i en hyllningsvers till Sergel skriver "De trotsa Ehr'nsvärds öga, När de berömma dig." Tydligen hade man från konstnärshåll, om än inte helt öppet, reagerat mot att en särskild byggnad uppfördes för detta konstverk.

Platsen, som slutligen utsågs för Amortemplet, var grunden till ett gammalt uthus, tillhörigt Brahelunds gård. Idén till en separat byggnad för Sergels skulpturgrupp hade väckts redan i Rom 1784. Ett Amortempel hörde till de byggnader som den franske arkitekten Dufourny var ombedd att utföra ritningar till. För Desprez skulle detta senare bli något av en obehaglig överraskning. Som vi redan sett, levde Desprez sedan början av 1788 i den fulla förvissningen att det inte fanns något som kunde hota hans ställning som Gustav III:s främste arkitekt. När han därför fick höra, att Dufourny erbjudit Gustav III antika kolonner avsedda att pryda Amortemplet, skyndade sig Desprez att omarbeta sina egna planer till samma byggnad för att passa dessa spolier. För säkerhets skull lät Desprez också sin elev Beskow gravera projektet till Amortemplet för att på detta sätt ge publicitet åt sitt eget förslag. När Dufournys ritningar till ett lustslott vid Haga jämte en tempelbyggnad för Amor och Psyke anlände våren 1788, hade de visserligen hunnit bli inaktuella, men enbart det faktum att Gustav III fann dem intressanta gjorde Desprez på nytt orolig. Hans nervositet ökade dessutom, när kungen inte lät honom se konkurrentens Hagaprojekt. Gustav III:s hemlighetsfullhet kan egentligen inte förklaras på annat sätt än som ett spel för gallerierna. Förmodligen ville kungen visa den självmedvetne franske konstnären att han inte skulle vara alltför säker på sin sak. Ändå vederfors Desprez snart en ärebetygelse i och med utnämningen till kungens förste arkitekt. Det är lätt att

99

Vy över Amortemplet

Penna och grått bläck, lavering i grått, akvarell, diam 171

NMH THC 5620

100

Vy över Haga med obelisk

Penna och grått bläck, lavering i grått och brunt, akvarell, 515 × 380

NMH 51/1874:90

förstå de samtida som ibland fann Gustav III:s handlande nyckfullt och inkonsekvent.

Våren 1788 blev Desprez alltmer involverad i de olika byggnadsplanerna, men, såsom en samtida framhöll, "ehuru de äro gillade torde dock åtskillige ändringar förestå dem, emedan både Konungen och hans Architect Després beständigt raffinera på planerne." Det är egentligen ofattbart att Gustav III hann ägna någon tid åt byggenskapen på Haga, då ju förberedelserna för kriget mot Ryssland var som mest intensiva vid denna tidpunkt. Kanske ingick detta medvetet i spelet för att ej röja de krigiska avsikterna.

Trots krigsutbrottet mattades inte takten i anläggningsarbetena. Tvärtom igångsattes nya byggen såsom värdshuset, Amortemplet samt utvidgningen av Corps-de-gardet. Dessutom fortsatte man att uppföra ekonomibyggnaden bakom Konungens paviljong, även om Desprez' pittoreska förslag till exteriörutformningen, i form av en ruin, ej genomfördes. Följande år lades grunden till stallet, på andra sidan om pelousen, mittemot det nya Hagapalatset, en byggna-

101

Vy över Haga

Penna och grått bläck, lavering i grått, akvarell, 645 × 1020
NMH 1/1905

tion som dock aldrig slutfördes. Först år 1790 skedde en nedgång i verksamheten p.g.a. kriget och det svåra statsfinansiella läget.

Två panoramavyer jämte tre mindre utsikter visar hur Gustav III och hans förste arkitekt tänkte sig hela utformningen av Haga Lustpark runt 1790/91. På den ena stora vyn finns det stora palatset inklusive Konungens paviljong markerade liksom en hel del av de trädgårdsbyggnader som redan omtalats. Här före-

kommer dock en nyhet, en öppen oval paviljong – det s.k. Ekotemplet. Byggnaden var tänkt att användas som en slags dejeunersalong, ungefär som den voljär vid Kina slott där kungen brukade supera under den varma årstiden. Arkitekt var inte Desprez utan hans medhjälpare Carl Christoffer Gjörwell d y, som under mästarens frånvaro i England skötte arbetet. Ekotemplet måste betraktas som ett i hög grad självständigt arbete av Gjörwell, ty när denna byggnad började uppföras i augusti 1790 hade Desprez visserligen lämnat London, men han uppehöll sig för en tid i Göteborg.

Den andra stora panoramautsikten visar att Gustav III:s planer inte bara omfattade Haga, utan hela området runt Brunnsviken. I förgrunden nere vid

102

**Utsikt över Haga
och Brunns-
viken sett från
Frescati**

Penna och grått
bläck, lavering i
grått, akvarell,
435 × 950

NMH 51/1874:88

På denna detalj av utsikten över Brunnsviken syns Armfelts villa i förgrunden.

stranden syns en tempelliknande villa. Denna byggnad var tänkt att uppföras av kungens gunstling, Gustaf Mauritz Armfelt, som sedan 1787 fått arrendera Frescati, en egendom under Ulriksdals kungsgård. I samband därmed hade han låtit Desprez rita ett badhus för egendomen. 1791, när Gustav III omvandlat arrendet till en donation, tycks Armfelts ambitioner ha vuxit ytterligare. Nu handlade det inte längre om ett badhus, utan om en magnifik villa. En gemensam nämnare för så vitt skilda byggnader var tempelformen. Ett antal olika förslag till denna villa är kända, av vilka Desprez lät sin elev Beskow reproducera de flesta i kopparstick.

På Desprez' vy kan man se några märkliga farkoster, som antingen har lagt till vid eller närmar sig Armfelts villa. Några av dem existerade redan. I början av hösten 1787 hade varvet i Karlskrona levererat de bägge gondolerna, Vildsvinet och Valfisken, som Carl August Ehrensvärd och Fredrik H. af Chapman ritat. Däremot kom aldrig de övriga att realiseras. Till dessa hörde den planerade färjan mellan Bellevue och Haga som skulle ha formen av en romersk galär och Gustav III:s främsta "lustjakt" på Brunnsviken, tänkt som ett mellanting mellan trädgårdsbyggnad och fartyg. Enligt en samtida liknades detta egendomliga flytetyg vid ett sicilianskt tempel och det skulle gå under namnet av Lyckans tempel.

Utsikten från Frescati visar även att Gustav III:s planer för det stora Hagapalatset vuxit. Detta skulle nu utökas med ett monumentalt trapphus i anslutning till den norra fasaden på det centrala partiet, allt enligt de nya ritningar som Desprez utarbetade våren 1789. Trapphuset var tänkt som en jättelik hall och omfat-

tade samtliga våningsplan. I det nedersta planet ledde en portal in till det stora kupolrummet. Denna entré skulle flankeras av egyptiska kariatyder och sfinxer.

Den stora byggnadsmodellen av Hagapalatset utfördes 1789–91 av Pehr Ljung och Carl Borenstrand. Tre år senare kompletterades modellen med måleri av Per Limnell. På Carl Fredrik Fredenheims initiativ ställdes den ut i Konstakademien 1800. Detaljen ovan återger det monumentala trapphus som planerades. Haga parkmuseum

Den tvåarmade trappen, bruten i räta vinklar och försedd med vilplan, ledde upp till andra våningen. Den rikt målade och skulpterade dekoren i stuck var koncentrerad till innertaket. Skulpturer i nischer skulle ytterligare bidra till en nästan överdådig prakt. Desprez' ritningar, liksom den av Per Emanuel Limnell och Pehr Ljung utförda modellen, ger en god bild av såväl det tilltänkta utseendet på trapphuset som på det övriga slottet.

Under de fem år som bygget pågått hade palatset vuxit avsevärt till ytan. Genom valet av plats blev man ganska snart tvungen att spränga och schakta bort ett helt berg för att få plats med den västra flygelarmen. Gustav III lät också projektera för en jättelik gårdsanläggning på palatsets norra sida under hösten 1791. De avvägningar som utfördes visade att ytterligare partier av bergskammen måste avlägsnas.

Enligt planerna skulle det stora Hagapalatset ha fullbordats 1796, men det hela utvecklade sig alltmer till ett omöjligt byggnadsföretag. Vid tiden för Gustav III:s död hade hela den ursprungliga byggnadskassan förbrukats, en massa möda spillts på en nästan barock vilja att tämja naturen och ändå var bara grundmurarna resta. Man kan därför fråga sig hur mycket sinne för verkligheten som Gustav III och hans förste arkitekt hade?

DROTTNINGHOLM

När Gustav III i mars 1777 för svenska statens räkning inköpte Drottningholm av sin moder, änkedrottning Lovisa Ulrika, hörde trädgården till det som kungen genast gav sig i kast med. Enligt de planer som Gustav III utarbetade tillsammans med överintendenten Carl Fredrik Adelcrantz skulle lustträdgården bl.a. i norr utvidgas med en engelsk park på det område som dittills varit betesmark, Kungsängen och det s.k. Alkärret. En engelsk trädgårdsmästare, William Phelan, inkallades redan samma höst och på våren 1778 satte man igång anläggningsarbetena.

Adelcrantz ritade för kungens räkning bl.a. ett Amortempel, men av de planerade lusthusen uppfördes inget. Även Fredrik Magnus Piper gjorde upp förslag både till parken och olika byggnader, men inget föll kungen i smaken. Först Louis Jean Desprez skulle till fullo förstå att tolka Gustav III:s arkitektoniska idéer. Som redan nämnts var det festdekoren till invigningen av broförbindelsen mellan Kersö och Lovö i augusti 1787 som för kungen uppenbarade Desprez' talanger som arkitekt.

När Desprez i slutet av hösten samma år fick i uppdrag att rita lusthus för Drottningholmsparken, bytte han egentligen bara de förgängliga materialen

103

Förslag till kinesiskt torn vid Drottningholm. Fasad och plan, 1788

Penna och grått bläck, lavering i grått, akvarell, 664 × 480

SLOTTSARKIVET, Drh II:31

Påskrift: egenhändigt signerad *Desprez* jämte överskrift *Dessein til Et Chinesiskt Torn vid Drottningholm*, (CC Gjörwells påskrift). Vidare försedd med kungens godkännande *Approberat Haga d. 19 Juni 1788. Gustaf.*

104

Götiska tornet vid Drottningholm. Bakre fasaden och plan, 1788

Penna och grått bläck, lavering i grått, akvarell, 486 × 348

SLOTTSARKIVET, Drh II:16:2

Påskrift: *Projekt til Götiskt Torn på Drottningholm* etc (CC Gjörwells hand) jämte kungens godkännande *Approberat Gustaf.*

mot beständiga. Större än så var inte skillnaden mellan Desprez' teaterdekor och arkitektur. Den 17 juni 1788 godkände Gustav III inte mindre än tre olika projekt till trädgårdsbyggnader: ett paestiskt tempel (se s. 102), ett kinesiskt och ett götiskt torn. Till planerna hörde även en ny stallbyggnad.

Gustav III:s approbation av Desprez' Drottningholmsförslag skedde bara en vecka innan kriget mot

105

Vy av Kina slott

Penna och grått bläck, lavering i grått och brunt, akvarell,
328×614

PRIVAT ÄGO

När Desprez skulle skildra en kinesiserande arkitektur från
rokokons dagar kunde han inte avhålla sig från att göra sin
egen tolkning av den exotiska dekoren.

106

Vy över Drottningholms slott med olika planerade nybyggnader

Penna och grått bläck, lavering i grått, 942×518

KUNGLIGA VITTERHETS-, HISTORIE- och ANTIKVITETSAKADEMIEN,
Rosenhaneska samlingen

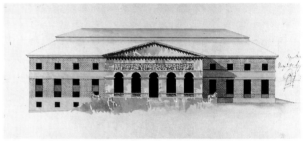

107

Drottningholmsteaterns västra fasad med Dejeunersalongen, 1791

Penna och brunt bläck, lavering i brunt, 540×375

SLOTTSARKIVET, Drh II:76

Påskrift: *Facade af Theaterbyggnaden på Drottningholm mot Trägården* (CC Gjörwells hand) jämte kungens godkännande
Approberat Haga d. 25 Appril Gustaf.

Ryssland bröt ut. Ingick månne kungens sorglösa byggnadsdrömmar i spelet för att inte väcka fiendens misstankar? Vilken orsaken än var, innebar det ryska kriget att alla projekt för Drottningholm stoppades tills vidare. Först våren 1791 var byggnadsverksamheten åter i full gång. Bl.a. uppfördes teaterns nya foyer, den s.k. Dejeunersalongen, som fick en vacker slätputsad fasad vänd mot parken. Samtidigt revs det gamla orangeriet som dessförinnan tjänat som festlokal och på platsen uppfördes den fjärde och sista paviljongen.

Desprez har i en stor vy över Drottningholm visat hur kungen och han tänkt sig slottets omgivningar. Till vänster syns det kinesiska tornet, till höger det planerade stallet. På en höjd i fonden av parken skymtar dels det Paestiska templet, dels det Götiska tornet. Den sistnämnda byggnaden blev det sista som verkligen skulle uppföras. I december 1791 hade en fullskalemodell av trä och väv rests på Glia backe för att ge Gustav III en idé om hur det Götiska tornet skulle te sig i parken. Vid tiden för kungamordet hade man bara kommit till grundläggningen. Följande år (1793) lämnades det inre av byggnaden ofullbordat.

BOTANICUM

Desprez kom också att anlitas som arkitekt för en rad andra offentliga byggnader, däribland en ny lokal för den botaniska institutionen vid Uppsala universitet. I augusti 1787 hade Gustav III donerat slottsträdgården till universitetet, samtidigt som grundstenen lades till det nya Botanicum. Ritningarna hade utarbetats av Olof Tempelman, men ungefär som i fallet Haga skiljdes arkitekten även från detta uppdrag våren 1788. Den 20 maj godkände Gustav III nya ritningar, utarbetade av Desprez. Arkitekten var dock bunden

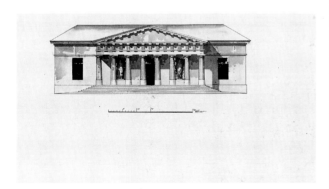

108

Botanicum. Fasad åt öster, 1788

Penna och grått bläck, lavering i grått, 372 × 535

NMH THC 1887

Påskrift: *Approberat Haga den 20 Maii 1788 Gustaf.*

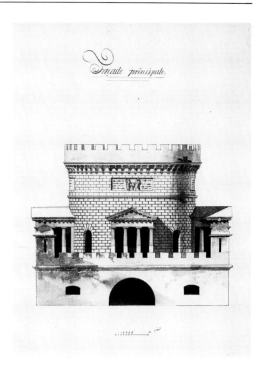

109

Volym innehållande borgar och torn i götisk och antik stil, ca 1790

Penna och grått bläck, lavering i grått, akvarell, 645 × 500

STOCKHOLMS STADSMUSEUM A 91/37

Påskrift: *Différents Dessins de Fortresse et de Tour, dans le goût antique et gotique, projetté pour la terre de Sturehof, appartenante à Monsieur Charles Wahrendorff, Composés par L.J. Desprez, premier architecte de S. M^{te} le Roi de Suède.*

till huvuddispositionen i företrädarens planer, eftersom grundläggningsarbetet redan var i full gång. Skillnaden i arkitektur var dock betydande. Tempelmans dekorativa klassicism förenklades och gjordes betydligt stramare. Desprez ersatte rustikkedjor med slätputsade murar och lät kolonner bli pelare. P.g.a. allehanda praktiska problem och penningbrist drog byggnadsarbetena ut på tiden. Först tre år efter Desprez' död invigdes Botanicum år 1807.

BORGAR OCH TORN

Desprez kunde inte bara visa upp en allvarsam sida som arkitekt. Ibland lät han också fantasin flöda lika fritt som inom teaterdekoren. Ett utmärkt exempel är de många förslag till torn och borgar i "götisk" respektive "antik" stil som han ritade i början av 1790-talet för Carl Wahrendorff på Sturehov. I ett fall lät han beställaren förstå vilka associationer man skulle få av dessa parkbyggnader: "Det yttre av byggnaden äger en antik karaktär som påminner om Castell Sant Angelo i Rom." I övrigt var förebilderna lite mer

113

110

Salong i egyptiserande stil för Hagapalatset

Penna och grått bläck, lavering i grått, akvarell, 176 × 406

NMH 254/1919

Den stolstyp som förekommer på ritningen återfinns även på möbelritningen kat.nr 116.

oklara. Ett av de mest extravaganta förslagen var på en och samma gång utformat som en borganläggning och en katedral i förfall. Symptomatiskt nog betonade Desprez i sin kommentar, att en byggnad av detta slag fordrade en lämplig omgivning: "en engelsk trädgård av det pittoreska slaget", med andra ord arkitektur och natur förenade. Längre än så kunde man inte komma från den stränga klassicismen.

INREDNINGAR OCH KONSTHANTVERK

Louis Jean Desprez var till sin natur en mångsysslare. Inget tycks ha varit honom främmande. I hans värld var, som redan konstaterats, steget inte långt mellan tänkt och verklig arkitektur. Samma sak kan sägas om hans inredningar. På detta område finns det heller inga vattentäta skott mellan Desprez' verksamhet som teaterdekoratör och inredningskonstnär. I bägge fallen förekommer samma dekor med kolonn- och pilasterordningar, kassetterade tunnvalv, relieffält, friskulpturer, blomsterurnor osv.

Som det anstår en kungaboning, var Hagapalatset tänkt att få rika inredningar. Till dessa har ett antal utkast bevarats, medan mängden färdiga ritningar är betydligt mindre. Det verkar som om arbetet med interiörerna länge befann sig på ett förberedande stadium. Förutom förslag till olika sovgemak och mindre salonger finns en märklig ritning till ett rum i egyptiserande stil, som sedan gammalt har förknippats med

Haga. Till denna inredning finns både en stenogramliknande skiss och ett omsorgsfullt akvarellerat förslag. De hemlighetsfulla svarta väktarfigurerna, insatta i nischer, påminner om den högkonjunktur för det egyptiska som rådde vid denna tid både inom konst, musik och esoteriska strömningar såsom frimureriet m.fl. Det räcker med att nämna Mozarts och Schikaneders opera *Trollflöjten*. Uppenbarligen delade Gustav III den förkärlek som Desprez hyste för egyptomanien. Som jämförelse kan nämnas, att kungen 1791 hade bestämt att två egyptiska statyer skulle utföras i Italien som dekor för Botanicum i Uppsala.

De interiörer som Desprez ritade för Haga rymmer både det intima och det finstämda, respektive det värdiga och det representativa. När Desprez fick uppdraget att göra några nyinredningar för Drottningholm, var det just det representativa som Gustav III efterfrågade. Efter framgångarna till sjöss i det ryska kriget ville kungen hugfästa minnet av sina segrar och uppdrog därför åt Desprez att skapa en motsvarighet till karolinernas bataljgalleri.

Grundkaraktären i dekoren till Desprez' galleri var utpräglat plastisk, med pilastrar och konsolgesims. Mellanliggande väggfält skulle prydas med troféer i relief och allegoriska figurer placerade i nischer. Ett återkommande tema i Desprez' många interiörer är ljusbärande genier, så även här.

Det arkitektoniska och skulpturala ramverket var dock inte tänkt att dominera i rummet utan huvudnumret skulle vara ett antal bataljmålningar, där Desprez skildrade det ryska kriget både till lands och till sjöss. Bl.a. skulle Slaget vid Svensksund täcka en hel kortvägg.

De enskilda delarna i Desprez' interiörarkitektur må ha varit klassicerande, men i sammanställningen av de olika elementen visar Desprez en nästan barock smak för det praktfulla och brokiga. I de få fall där Desprez' förslag verkligen skulle realiseras, var det emellertid en

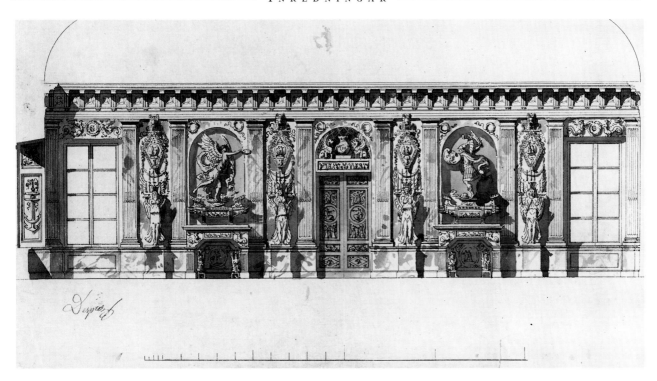

111

Bataljgalleri på Drottningholms slott. Förslag till ena långväggen, 1790

Penna och grått bläck, lavering i grått, 330 × 519

NMH 201/1980

Påskrift: egenhändigt signerad *Desprez.*

112

Bataljgalleri på Drottningholms slott. Förslag till ena kortväggen, 1790

Penna och grått bläck, lavering i grått, 320 × 460

NMH 246/1919

Påskrift: egenhändigt sign. *Desprez.*

långt mer saklig och måttfull inredningsstil som skulle komma till uttryck.

Den sista sommaren som Gustav III levde uppfördes en ny foyer för teatern på Drottningholm, ett utrymme som senare kommit att kallas för dejeunersalongen. Förhållandet mellan exteriör- och interiörarki-

113

Drottningholmsteaterns foyer, den s.k. Dejeunersalongen. Längdsektion, 1791

Penna och brunt bläck, lavering i brunt, 370 × 525

NMH 1/1898

Påskrift: *Genomskärning visande indre Decoration utaf den tilökte Sallonen vid Theater byggnaden på Drottningholm* (CC Gjörwells hand) jämte kungens godkännande *Approberat Haga d. 25 Ap: 1791 Gustaf.*

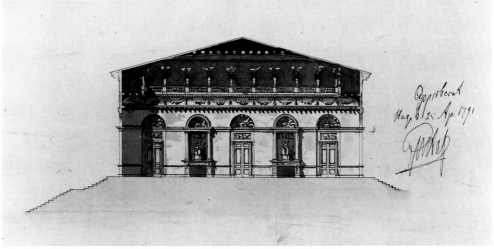

113

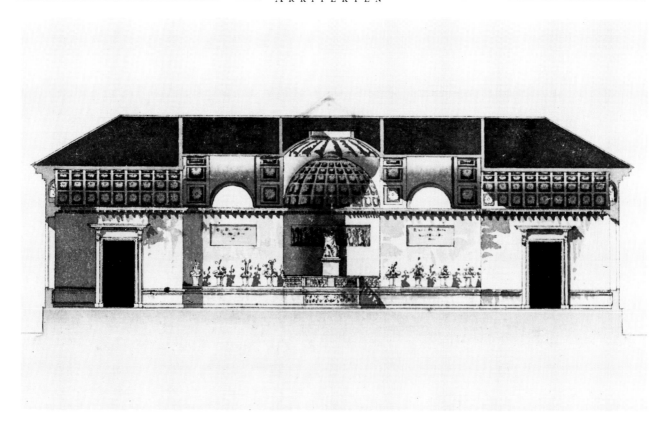

114

Botanicum. Längdsektion av den s.k. Linnésalen, 1791

Penna och grått bläck, lavering i grått, akvarell, 335 × 513

UPPSALA UNIVERSITETSBIBLIOTEK, inv.nr 49230

Påskrift: *Genomskärning på Linien* samt kungens godkännande
Approberat Lilla Slottet på nya Haga d:29 Mars 1791.

tekturen är här konsekvent genomfört. De fem stora
franska fönstren svarar direkt mot interiörens blinde-
ringar i form av tre arkadbågar för dörrar samt två
andra för öppna spisar jämte ädikulära överbyggna-
der. Känslan av fri rymd, som präglar rummet än i
dag, har till stor del sitt ursprung i Desprez' originella
lösning med ett läktarförsett innertak.

Än mer raffinerad är rumsverkan i den stora Linné-
salen i Botaniska institutionen, Uppsala. Dekoren är
här reducerad till ett minimum. När arkitekten väl
använder sig av någon slags arkitektonisk utsmyck-
ning, i form av innertakets kassettering, är det sympto-
matiskt nog för att manipulera med rumsupplevelsen i
den långsträckta hallen. Genom att göra murarna slät-
putsade har Desprez valt att förläna arkitekturen själv
en slags abstrakt, skulptural verkan, vilket förstärks av
den speciella belysning som överljusfönstren ger. Lin-
nésalen är utan tvekan en av den svenska nyklassicis-
mens märkligaste interiörer.

Efter Gustav III:s död blev Carl Fredrik Freden-

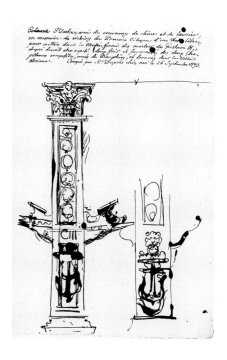

115

**Förslag till montering av antika kapitäl för Kongl.
Museum, 1793**

Penna och brunt bläck, 340 × 214

NMH A 241/1971

Påskrift: *Pilastre orné de couronne de chêne et de laurier, en mémoire
des victoires du Premier Citoyen d'un Etat libre, pour mettre dans le
Musée formé des marbres de gustave III / – – – / Croqué par Mr
Desprès chez moi le 26 Septembre 1793* (C.F. Fredenheims hand).

Inredningsförslag av Desprez till ena kortsidan av inre galleriet i Kongl. Museum, 1793. Okänd ägare

heim, chefen för det nyligen grundade Kongl. Museum, Desprez' främste beskyddare. De sköna konsternas högste ämbetsman hade dock inget mandat att engagera Desprez för större arkiektoniska uppdrag. Det ankom i stället på hovintendenten Carl Fredrik Sundvall att utföra ritningar till det nya museet. Fredenheim lät dock Desprez komponera några inredningsdetaljer. Den 26 september 1793 hade Fredenheim kallat till sig den franske arkitekten för att diskutera hur två antika kapitäl från Hadrianus' villa i Tivoli skulle monteras. På en bevarad papperslapp, försedd med museichefens påskrift, har Desprez hastigt kastat ned en tänkt utformning. Arrangemanget påminde mycket om dekoren i det planerade bataljgalleriet på Drottningholm. Eklövs- och lagerkransar, ankare och skeppssnablar har anbringats på en pilaster för att påminna om Gustav III:s och hertig-regentens sjösegrar i det ryska kriget. Renritat hade projektet, som var avsett för entrén till det inre galleriet i Stenmuseet, blivit än mer utbroderat. Man kan egentligen fråga sig vad dessa martiala symboler hade i museet att göra, allra helst som en museiman som Fredenheim hyste en mycket bestämd uppfattning när det gällde att använda museiföremål som rekvisita i en icke-museal kontext. Samtidigt verkar Fredenheim ha varit pragmatiker, eftersom han kunde tänka sig att göra ett undantag från sina principer för att vinna de nya makthavarnas gunst genom en insmickrande troféanordning. Desprez' förslag till montering av de antika kapitälen fick dock falla. Möjligen tyckte Fredenheim att Desprez' lösning var något för vidlyftig. De kandelabrar som konstnären ritat år 1796 för Kongl. Museum hade nämligen Fredenheim hastigt tröttnat på, då de var för svulstiga. Efter bara ett år lät han flytta dem till det Gustavianska gravkoret i Riddarholmskyrkan.

I motsats till vad man skulle kunna tro var Desprez känd för sin extravaganta smak. Som scenkonstnär behövde han ju heller inte hålla tillbaka på det överdådiga. Av allt att döma ritade Desprez sina första möbler för sceniskt bruk. Från hans ateljé kommer en möbelritning, som mycket väl kan avse just teaterrekvisita. Karaktären på den soffa, karmstol m.fl. som återfinns på den aktuella ritningen visar prov på samma eklektiska smak som man kan studera i hans teaterdekor. Det låga ryggstycket hör hemma i 1600-talets förra hälft, medan de raka benen med sina kaneleringar och fyllningar jämte tyrsos-kottar framstår som ett antikiserande inslag. Desprez' aparta möbelstil utvecklades troligen i samband med den teaterrekvisita han fick rita till historiska dramer, som t.ex. *Gustaf Wasa*. Likartade möbler förekommer även senare bl.a. i förslaget till ett rum i egyptisk stil för Haga.

På Haga, i Gustav III:s paviljong, förvaras den enda möbel som med säkerhet utförts efter Desprez' ritningar: två höga serveringsbord. De liknar heller inget annat som gjordes under samma tid, även om formen är högst klassicerande.

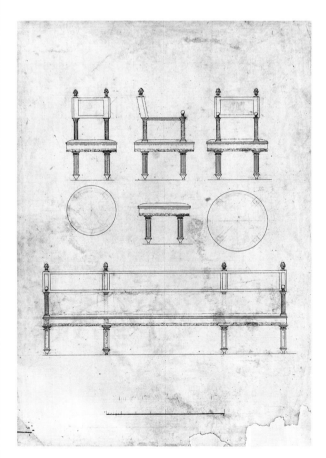

116

Ritning till stol, karmstol, taburett och soffa

Penna och grått bläck, 535 × 370

NMH 3/1992

Desprez' verksamhet som formgivare torde vara minst känd. Bl.a. har ett stort antal ritningar till olika typer av kärl bevarats. Konstnären hade redan under sin tid i Italien tecknat av liknande konsthantverksföremål i privatsamlingar. I slutet av 1790-talet gjorde Desprez egna förslag till skålar och terriner. De kan troligen sättas i samband med Fredenheims s.k. *plaitre-* *och stålfabrique*. Fredenheims lilla manufaktur på Djurgården var ett försök till inhemsk produktion av lyxartiklar i brons och mässing. När Desprez i november 1798 visade Fredenheim "en artigt ritad Terrin" var det troligen i hopp om att kunna påverka sin prekära situation, sedan det tolvåriga kontraktet gått ut. Desprez' ritningar till terriner bildar en sorglig epilog till hans i övrigt så storartade och ytterst mångsidiga konstnärliga produktion.

117

Servant, Konungens paviljong, Haga

Monokromt trä, H 129, L 114, Dj 77 cm

KUNGL. HUSGERÅDSKAMMAREN, INV NR 1210

118

Utkast till bordsstudsare med ur, troligen för Haga

Penna och brunt bläck, 195 × 272

NMH 1905/1875

119

Utkast till terriner

Penna och brunt bläck, lavering i grått och brunt, 322 × 205

NMH A 54/1971

120

Ritning till terrin

Penna och grått bläck, lavering i grått, 300 × 245

NMH A 1/1989

RYSKA TEMPELDRÖMMAR OCH PALATSPROJEKT

Medan det nya slottet vid Haga var ett enormt byggnadsprojekt för svenska förhållanden, kunde var och varannan rysk furste tillåta sig att uppföra liknande palats i St Petersburg. Kanske var det utsikten att få arkitekturprojekt förverkligade som bidrog till att Desprez började hoppas på uppdrag i Ryssland. Efter freden i Värälä hade t.ex. Katarina den Stora försökt locka Johan Tobias Sergel till Ryssland, men denne hade emellertid fått annat att tänka på efter beställningen av Gustav III-statyn på Skeppsbrokajen.

Det är mot denna bakgrund man nu får se Desprez' försök att locka kejsarinnan med ett projekt till Odödlighetens tempel. Arkitekten har här knappast sparat på effekter i de rikt laverade och akvarellerade bladen, som under stundom t.o.m. försetts med förhöjningar i guld. Förutom renodlade arkitekturritningar ingår både interiörer och en stor generalvy av hela templet med omgivning i detta projekt. Sin vana trogen har teaterkonstnären Desprez också dramatiserat innehållet genom att återge Odödlighetens tempel vid dess tänkta invigning. Ett praktfullt tåg av ryttare, klädda à l'antique, triumfvagnar, fanor och vimplar ger ett nästan overkligt intryck.

På den stora övergripande vyn framgår att Odödlighetens tempel skulle sättas in i ett större sammanhang, omgivet av jättelika byggnadskomplex. Man kan dock ställa sig frågan hur pass allvarligt menat denna arkitekturfond var. Förmodligen handlade det först och främst om att göra hela "anrättningen" aptitretande för höga vederbörande.

I de övriga bladen koncentrerade sig Desprez på Odödlighetens tempel, till formen tänkt som ett dipteros utan cella. Templet skulle komma att helt präglas av en överdådig skulptural prakt. Bara templets takfot var tänkt att prydas med 48 friskulpturer. I övrigt fanns det nästan inte en enda fri yta: tympanonfält och ädikulor – alla dessa partier var försedda med någon form av skulptural utsmyckning. Själva huvudnumret var Odödligheten själv, en skulpturgrupp med kejsarinnan stående på en triumfvagn och krönt av Ryktet samt den ryska dubbelörnen. Allt har sammanfogats som en jättelik krokant och uppenbarligen var Desprez själv fascinerad av denna nästan barocka skapelse. I en rad utkast har han återkommit till sin figurrika komposition, ofta återgiven på ett kortfattat och stenografiskt sätt.

Till projektet fogade Desprez även en triumfbåge. Arkitekten låter oss ana denna byggnad i fonden av sin interiörbild av Odödlighetens tempel. Men trots den påkostade gåvan, som omfattade inte mindre än 24 ritningar, vilka åtföljdes av en insmickrande dedika-

Vy föreställande den tänkta invigningen av Odödlighetens tempel, tillägnat Katarina den Stora av Desprez, 1791. Eremitaget

tion, uteblev framgången. Kejsarinnan uttryckte visserligen sin uppskattning och överlämnade en dyrbar gåva till Desprez, men något mer hände inte.

Desprez lät sig dock ej nedslås. Några år senare sände han ett förslag till ett palats för greve Nikolaj Petrovitj Sjeremetiev i Moskva, en annan av de ryssar som utan framgång vänt sig till Sergel.

Desprez' projekt blev ryktbart redan i samtiden p.g.a. sina megalomaniska mått. Marianne Ehrenström berättar i sina essäer, skrivna ett kvarts sekel senare, att Desprez bl.a. ritat ett monumentalt trapphus för grevens palats, där det fanns plats för inte mindre än åtta ryttarstatyer. I Eremitaget finns just en dylik ritning av Desprez för ett trapphus i greve Sjeremetievs palats vid Nikolskajagatan. Det övriga ritningsmaterialet visar att arkitekten även i övrigt tycks ha koncentrerat sig på de representativa utrymmena såsom gallerier, kapell och t.o.m. en teater.

Desprez hade med största säkerhet tillgång till något slags underlag med anvisningar. Sålunda måste han anpassa sig till givna förutsättningar, i första hand en oregelbunden, triangulär tomt. Den stora ytan ställde stora krav på arkitekten. Trots att huvudfasaden bestod av inte mindre än 33 fönsteraxlar, har Desprez lyckats bemästra svårigheterna.

Det fanns dock två konkurrenter, italienaren Quarenghi och ryssen Nazarov. Om man får tro Marianne Ehrenström blev greven ej nöjd med Desprez' förslag utan önskade sig något mer storvulet. Det blev i stället Quarenghi som fick uppdraget. Trots detta ansåg ändå Desprez att greve Sjeremetiev var en viktig

beställare. 1795 sände han därför teaterritningar avsedda för grevens teater vid slottet Ostankino utanför Moskva. I juli 1801 begärde Desprez tillstånd

Interiör av monumentalt trapphus i det av Desprez planerade palatset för greve Nikolaj Sjeremetiev i Moskva. Eremitaget

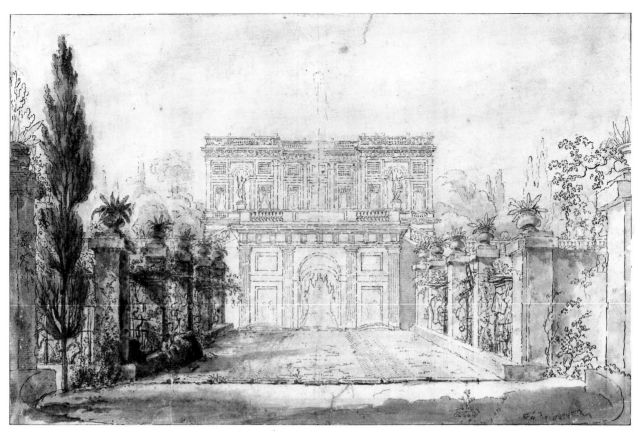

hos kungen om att få vistas fyra månader i Ryssland, men något konseljbeslut fattades aldrig. Hans anhållan hade troligen föranletts av något av greve Sjeremetievs byggnadsprojekt. 1803, året innan Desprez dog, tycks han alltjämt ha hoppats på greve Sjeremetiev, eftersom han då skickade inte mindre än fem olika inredningsprojekt till ett galleri och en salong för grevens palats i St Petersburg. Det är dock högst osäkert om något av detta kom till utförande.

Förlaga till teaterdekoration föreställande ett italienskt kasino. Penna och grått bläck, lavering i grått och brunt, akvarell. (Kat.nr 56) NMH A 3/1992

Ett identiskt sceneri med en villaträdgård hörde till de teaterdekorationer som Desprez sände till greve Nikolaj Sjeremetjev på 1790-talet.

KUNGLIG FESTIVITAS OCH POMPE FUNÈBRE

Desprez' tillfällighetsarkitektur hängde nära samman med hans teaterdekor. Att det ena var en logisk följd av det andra har vi redan kunnat se. Sålunda hade en stor fond föreställande det antika Rom varit uppställd ute i det fria i samband med festligheter ute på Drottningholm under åren 1786 och 1787. Det framgår av arkitektens meritförteckning att han utförde dekorationer till andra kungliga fester och ceremonier under Gustav III:s regering. Av allt detta finns i dag inga spår kvar. Ett konstnärligt vittnesbörd om Desprez' verksamhet som tillfällighetsarkitekt härrör främst från slutet av hans liv.

Den 1 november 1796 blev Gustav IV Adolf myndig. Inför högtidlighållandet av denna händelse hade Rikssalen på Stockholms slott iordningsställts efter Desprez' ritningar. Dessa är inte bevarade men räkenskaperna talar sitt tydliga språk. Här nämns karyatider av papp och trä, blomstergirlander och målade reliefer på väv under läktarna. Det praktiska arbetet utfördes inte av Desprez utan av lärjungarna Pehr Estenberg, Adam Petter Holmberg och Karl Georg Bauman.

1797 ingick den nittonårige Gustav IV Adolf förlovning med den tre år yngre prinsessan Fredrika av Baden. Den 31 oktober skulle själva bröllopet äga rum med omfattande festligheter på Kungliga slottet i Stockholm. Firandet var koncenterat till de stora ceremonirummen, Rikssalen och Slottskapellet. Till nyordningen vid detta tillfälle hörde att överintendenten Carl Fredrik Fredenheim fick ansvar för dekorationerna. Det föll närmast på hovintendenten Carl Fredrik Sundvall att utföra ritningarna "med hvilka han dröjde så länge at Despres gjorde förr ritningar till decorationerne som af konungen approberades", konstaterade Fredenheim. Och Desprez var väl rustad för uppgiften, eftersom han i stort sett verkar ha upprepat karaktären på den dekor som använts i samband med myndighetsdagen föregående år.

Av Desprez' egen hand finns tre utkast bevarade, som alla härrör från Johan Tobias Sergels samling. De har samtliga karaktären av stenogram, med största säkerhet tillkomna under diskussioner med Sergel. Desprez har haft bråttom, när han skulle redogöra för festdekoren. Bläcket har sprätt över papperet och konstnären har heller inte givit sig tid att lägga till rätta arken som han tecknat på. Ändå har Desprez lyckats ange samtliga väsentliga delar i festdekoren trots den stenografiska stilen. T.o.m. tofsarna på tronhimlens lambrekänger finns markerade. Detta kan man utläsa vid en jämförelse mellan Desprez' utkast

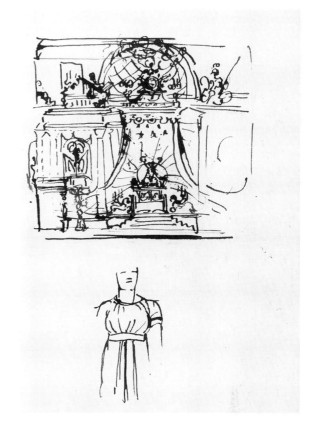

121

Skiss till kortsidan av Rikssalen, Stockholms slott med den kungliga tronen, 1797

Penna och brunt bläck, 330 × 210

NMH 1901/1875

122

PEHR ESTENBERG efter Desprez

Ritning till kortsidan av Rikssalen, Stockholms slott med den kungliga tronen, 1797

Penna och grått bläck, lavering i grått, akvarell, 910 × 970

NMH 243/1919

och de färdiga ritningarna, utförda av eleven och med-hjälparen Pehr Estenberg, som tillika var den som i praktiken utförde den målade dekoren.

Desprez hade att utgå från en redan befintlig arkitektur, men detta var för honom knappast ett problem. Tvärtom förstod han väl att rätt utnyttja de möjligheter till bombastisk prakt som Rikssalen erbjöd. Desprez föreslog att kolossalordningen, som ger den grundläggande rytmen i detta solenna rum, skulle kompletteras med en målad dekor i fönsternischer och blinderingar. Den enda befintliga plastiska utsmyckningen, Cousins krönskulpturer föreställande kungliga dygder, skulle utökas med figurrika scenerier, vilka var ämnade att framställa händelser i den svenska histo-

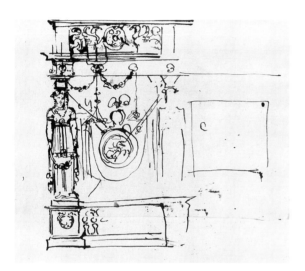

rien. Till detta kom trofégrupper och ljusbärande genier i nischerna.

Med tanke på den väntade tillströmningen av skådelystna till det kungliga bilägret var det viktigt att antalet läktare väsentligen utökades. På Gustav IV Adolfs uttryckliga önskan byggde man till läktare utmed hela den stora kornischen. Medan dessa skulle få ett enkelt utförande, tänkte sig Desprez en mer påkostad utformning för balkongerna närmast tronen. Dessa åskådarplatser för de högst uppsatta skulle enligt planerna bäras upp av karyatider, ett arkitekturmotiv som Desprez gärna använde sig av. Men hans överordnade, Fredenheim, hade redan från början motsatt sig detta extravaganta inslag. Kanske ville Desprez med sitt besök hos Sergel ändå utverka stöd för sina ambitioner. Fredenheim var dock fortsatt kritisk: " Colonner äro mycket bättre på ett ställe, där omstädningar för hvart tillfälle göra /det/ svårt att akta Cariatider, om de ej vore af tackjern." Några karyatider utfördes heller inte.

Föregående år (1796) hade Desprez, som redan nämnts, ritat några kandelabrar för Kongl. Museum. Fredenheim, som funnit dem vara alltför vidlyftiga, lät snart flytta dem till Gustavianska gravkoret i Riddarholmskyrkan. Här blev de nu förevisade av en annan av de huvudansvariga för festligheterna, riksmarskalken Oxenstierna, som ej var fullt lika negativt inställd som Fredenheim. Desprez ombads därför rita en ny uppsättning kandelabrar för Rikssalen. Under tyngden av alla de engelska vaxljusen skulle Desprez' anordningar visa sig vara bräckliga konstruktioner. På

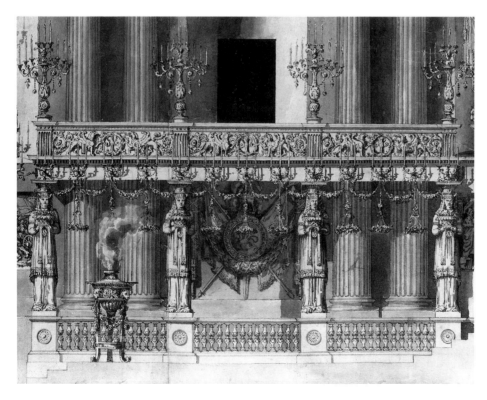

Desprez stenografiska skiss till en läktare buren av karyatider kan jämföras med den färdiga ritningen utförd av eleven Pehr Estenberg. Nationalmuseum

123

Förslag till sorgedrapering av Riddarsalen på Stockholms slott inför hertig Fredrik Adolfs begravning, 1804

Penna och brunt bläck, lavering i brunt, 312 × 360

NMH THC 1849

Påskrift: *Quatrième Projet* (Desprez' hand) *Chambre funéraire par Deprées*. Denna ritning liksom de följande bär spår av vikning i brevformat eftersom Desprez' planer tillställdes Gustav IV Adolf för godkännande under kungens vistelse i Karlsruhe, Baden. Till projektet hör en förklarande text.

en bal, som hölls i Rikssalen någon tid efter bröllopet, föll en ljusarm från en av de stora kandelabrarna ned på en hovfröken. Själva bröllopshögtidligheterna avlöpte dock utan missöden och Fredenheim konstaterade belåtet att dekorationerna i Rikssalen "göra Desprez synnerligen heder". En jämförelse med Martin R. von Helands skildring av festligheterna visar emellertid att Desprez' ursprungliga förslag till största delen aldrig kom till utförande. Förmodligen hade Fredenheim till slut strukit det mesta av all utsmyckning.

Trots att Desprez' kontrakt med Kungliga Teatern löpte ut följande år utan att förnyas, anlitades han även i fortsättningen för att scenografera både kungliga glädje- och sorgehögtider. Drottningens far, arvprinsen av Baden, hade avlidit i Arboga i december 1801 efter att fatalt nog ha fallit ur sin vagn. Det beslutades nu att begravningsakten skulle hållas i Riddarholmskyrkan, då ingen sjötransport var möjlig vintertid. Uppdraget att svara för dekoren gick till Desprez, sedan Sundvalls ritningar ratats. Vi vet inte hur Desprez' begravningsscenografi såg ut, bara att den blev häftigt kritiserad av somliga, däribland hertig Karl (XIII). Hertigen, som ursprungligen hört till beundrarna av Desprez' verk, hade med åren blivit allt mer kritisk till konstnärens produktion. Som ett exempel kan nämnas, att när hertig Karl tillfrågades om en inredning för en frimurarloge ute i landet, betonade han att när man skulle framställa "en underjordisk grotta med Ormar, paddor, ödlor och dylika djur", skulle man tänka på att detta gjordes på ett sätt "så att de ej falla i Ridicule /åtlöje/ hvilket bör undvikas på alt sätt och som ej undvikes då man imitera Desprès genre". Hertigen föredrog i stället Desprez' medhjälpare Per Estenberg.

Trots det negativa mottagandet och inte minst hertigens kategoriska inställning, visade det sig att detta inte utgjorde något hinder för Desprez i framtiden. I januari 1804 fick konstnären ett likartat uppdrag, nämligen att göra ritningar till hertig Fredrik Adolfs begravning.

Hertigen, som dött under en vistelse i Monpellier i december 1803, hade hört till Desprez' främsta beskyddare. Konstnären hade själv varit nära döden

124

Förslag till provisorisk altardekor i Riddarholmskyrkan inför hertig Fredrik Adolfs begravning, 1804

Penna och grått bläck, lavering i brunt, 388 × 295

NMH A 4/1992

Påskrift: *No 3.*

efter ett slaganfall föregående år. Med sina egna erfarenheter i färskt minne har Desprez på ett synnerligen vältaligt sätt utformat dekoren till de olika etapperna i begravningsceremonin. Först i ordningen var gestaltningen av själva likrummet. Som lokalitet valde man Riddarsalen på Kungliga Slottet i Stockholm. Enligt Desprez' anvisningar skulle den befintliga inredningen draperas för sorg. Kolonnerna med sina förgyllda kannelyrer på vit botten ansågs tydligen alldeles för iögonfallande. För att de skulle passa in på ett värdigt sätt i sorgehögtiden, föreslog Desprez därför att de skulle kläs med målad väv i dov kolorit. Endast kapitälen var tänkta att friläggas med bibehållen lyster.

På teatervis skulle fondväggen under baldakinen bemålas med hertigens namnchiffer. Själva kistan eller sarkofagen var tänkt att stå på ett podium med en upphöjd katafalk. De kungliga insignierna, bl.a. den hertigliga kronan, skulle vila på ett hyende ovanpå kistan. I övrigt hade Desprez' väl omvittnade smak för det makabra resulterat i en märklig utstyrsel för kandelabrarna. Konstnären kallade dem själv för "des momies en forme de candelabres". Dessa egendomliga

125

125

Förslag till altarets och långhusets dekor i samband med hertig Fredrik Adolfs begravning, 1804

Penna och brunt bläck, lavering i brunt, 385 × 293

NMH THC 4857 bis

Påskrift: *Décoration de l'Eglise No 2 par Després* samt kungens godkännande *Approberas Carlsruhe Slott d: 5 Maj 1804, Gustaf Adolph*. Till projektet hör en förklarande text.

126

Dekor till orgelläktaren vid hertig Fredrik Adolfs begravning, 1804

Penna och brunt bläck, lavering i brunt, 380 × 283

NMH THC 1848

kandelabrar var tillika smyckade med martiala symboler för att påminna om den avlidnes höga rang som fältmarskalk.

I väntan på den högtidliga bisättningen är det möjligt att man ämnade följa traditionen med en tillfällig uppställning i Riddarholmskyrkan, medan dekoren i hela kyrkorummet ställdes i ordning. Ett förslag till altaruppbyggnad kan troligen förknippas med ett dylikt tillfälligt arrangemang, dvs. den andra fasen i sorgeceremonierna. Döden är här framställd stående på en glob. Desprez har inte sparat på några dramatiska effekter. När döden lyfter på täckelsen rasar symboler för jordelivets alla fåfängligheter ned. Inskriptionen svarar direkt mot retoriken i denna nästan övertydliga allegori kring dödens obevekliga makt: "Med döden förintas allt, men dygderna är eviga."

För den tredje och sista etappen i begravningsceremonin hade Desprez gjort en scenografi som omfattade hela kyrkorummet. Det var dock en dekor som gick i sparsamhetens tecken jämfört med den yppiga kungliga begravningsrekvisitan från karolinsk tid, såsom tunga draperier och baldakiner, landskapsvapen, kandelabrar och lampetter med dödsskallar och benknotor m.m. Av den planerade utsmyckningen var det mesta koncentrerat till altaret. För ändamålet hade Desprez tänkt dölja det verkliga högaltaret bakom en kuliss. På hans ritning är dekoren till altaruppsatsen tecknad med påtaglig djupverkan. En jämförelse med planen visar att detta var en illusion som Desprez i sin egenskap av teaterkonstnär ville bibringa betraktaren. Antalet nivåer var i själva verket inte fler än två. Förgrundsplanet skulle utformas som en triumfbåge. Desprez har i sin kommentar betonat att valet av spetsbåge var tänkt att harmoniera med Riddarholmskyrkans övriga arkitektur. När Desprez senare i sin förklarande text skall beskriva tympanonfältets dekor blir han nästan rörande i sin historiserande ambition: "Detta skall smyckas med reliefer i samma stil som de forntida mosaiker vilka påminner om de flydda tider då Sverige kristnades /sic!/". Allt skulle lysas upp av vaxljus i en ramp, som vilade på kornischen, uppburen av kolonner och pilastrar.

Det bakomliggande fondplanet dominerades av en sorgedrapering i svart kläde på vilket man tänkt applicera ett kors i tunn silverväv, omgivet av en stjärnkrans med små marschaller. Själva altaret var pyramidalt uppbyggt med kandelabrar på varje avsats medan krönet skulle prydas av lagens tavlor. Kolonnmellanrummet var tänkt att lysas upp av kandelabrar av antikiserande snitt med ljusarmar som vilade på ett

altare. Samma typ av belysning var ämnad för det upphöjda podiet i kyrkans mitt, där kistan skulle placeras på en katafalk.

I motsats till altarets rika dekor skulle den övriga kyrkan försänkas i ett dovt mörker utan nästan någon form av utsmyckning. Desprez följde dock traditionen från äldre kungliga begravningar, när han föreslog uppförandet av en läktaranordning utmed mittskeppet. I stället för en draperi i svart kläde valde konstnären medvetet att utforma dessa läktare som om de vilade på en sockelvåning av sten, en illusion tänkt att skapas genom imitationsmåleri föreställande granit. Vid sidan om denna annorlunda materialverkan skulle halvcirkel-formade valvöppningar ytterligare bidraga till känslan av sorgesam tyngd och gravkammarkänsla, ("un air des catacombes"). Desprez ansåg inte att detta arrangemang skulle hindra sikten för åskådarna. Tvärtom var begränsningen i valvöppningen ägnad att förstärka känslan av det dunkla och det hemska. Ovanför valvöppningarna löpte fortsättningen av altarets kombinerade fris och ljusramp.

Orgelläktaren på långhusets kortsida skulle enligt Desprez' planer få en valvöppning som tillika fungerade som portal. Det är lätt att här återkalla minnet av samma arkitektoniska tema, som Desprez hade använt i Botanicum, den s.k. "sjunkna bågen".

Gustav IV Adolf, som under två års tid vistades hos sin hustrus släktingar i Karlsruhe, fick Desprez' förslag sig tillsänt och approberade det i maj 1804. Då hade konstnären själv redan hunnit avlida i mars samma år. Det kan te sig en smula ironiskt att Desprez' sista verk blev ett stycke furstlig begravningsdekor, medan hans egen begravning blev en enkel ceremoni. För att Gustav IV Adolfs förste arkitekt ändå skulle få ett någorlunda värdigt slut erhöll det konkursmässiga dödsboet begravningshjälp från både kungen och den forne arbetsgivaren, Kungliga Teatern.

Hertig Fredrik Adolfs begravning ägde slutligen rum den 10 september. Man följde därvid noga Desprez' ritningar vilket framgår av överceremonimästaren Leonard von Hauswolffs anteckningar: "Ett stort fel i kyrkans decoration, som elljest war rätt wacker, fant jag ock flera med mig wara Baldaquin eller himmel. Framledne Desprez hade förmodeligen glömt det, och som Hans Maj:t approberat denna ritning wågade man ej gjöra derwid ändring." Von Hauswolff tillstod dock senare att Desprez ej hade glömt något, då baldakiner endast tillkom krönta huvuden.

127
KARL FREDRIK VON BREDA (1759–1818), tillskriven
Louis Jean Desprez vid staffliet
Olja på duk, 62 × 80 cm
KONSTAKADEMIEN

Målaren

MAGNUS OLAUSSON

et var troligen under arbetet med abbé de Saint-Nons *Voyage pittoresque* som Desprez alltmer insåg att bildkonsten och inte arkitekturen var hans rätta element. Till en början tycks han dock ha behållit denna insikt för sig själv, möjligen av rädsla för att mista stipendiet. Det dröjde emellertid inte länge förrän Desprez blev berömd för sina vedutor. Akademidirektören Lagrenée ansåg därför våren 1783, att det ej längre var möjligt att för greve d'Angiviller hemlighålla det faktum att Desprez i två års tid helt ägnat sig åt oljemåleri. Som redan framgått blev reaktionen från Paris positiv trots Desprez' uppenbara försummelse. I stället för att banna den före detta arkitekturstipendiaten framförde överintendenten, greve d'Angiviller, sina välgångsönskningar med anledning av Desprez' vägval. Historiemålaren Pierre, d'Angivillers närmaste rådgivare, ansåg dock att Des-

prez borde förkovra sig i perspektivlära. Därefter skulle vägen till ryktbarhet och pengar ligga öppen för konstnären, förutspådde Pierre.

Desprez' debut som målare skedde ett halvår senare, under hösten 1783. Den 8 november berättar *Diario di Roma* att Desprez vederfarits den stora äran att få visa upp en oljemålning för påven, Pius VI. Ämnet var passande nog *Den helige Fadern välsignar folket från Peterskyrkans balkong*, ett motiv som återgav den årliga påskvälsignelsen. Målningen hade beställts av familjen Borghese och därför hade Desprez vinnlagt sig om att beställarens vapen tydligt skulle framträda på krönet till kolonnaden i förgrunden. Dessförinnan hade Desprez arbetat med motivet som en renodlad veduta. Det var t.o.m. tal om att utsikten mot Petersplatsen skulle ges ut som en kolorerad konturetsning i Piranesis och Desprez' gemensamma serie, men idén

"Den helige Fadern välsignar folket från Peterskyrkans balkong" blev hösten 1783 Desprez' debut som målare. Privat italiensk ägo

Striden mellan crotonienserna och sybariterna var ett motiv där Desprez använde sig av en äldre komposition från Italientiden. Nationalmuseum

realiserades aldrig. I stället använde nu Desprez samma motiv för att framställa en konkret händelse och vidgade på detta sätt innehållet i en "turistvy" till att bli en reportagebild.

Mönstret var egentligen detsamma när Desprez våren 1784 erhöll en beställning på två stora målningar, vilka skulle skildra några av de mest spektakulära händelserna under Gustav III:s besök i Rom. Det första ämnet var den svenske kungens bevistande av julmässan i Peterskyrkan 1783. Den andra målningen skulle återge påskmässan med Gustav III omgiven av sin svit framme vid högaltaret samt det brinnande fastlagskorset i fonden. Desprez var utan tvekan väl förberedd för denna uppgift, eftersom han redan ingående sysslat med motivet. Interiören av Peterskyrkan med det brinnande fastlagskorset fanns redan utgiven i Piranesis svit av konturetsningar efter Desprez' förlagor. Här hade kyrkans mäktiga interiörarkitektur varit den mest väsentliga beståndsdelen. När nu samma motiv skulle tjäna som fond till framställningar av historiska händelser fordrade detta att Desprez ägnade mer tid åt de olika aktörerna, såväl de påvliga dignitärerna som medlemmarna av Gustav III:s svit. Av detta skäl blev Desprez tvungen att dröja kvar i Rom för att kunna göra förberedande studier på platsen.

I den akvarellerade skissen till framställningen av

julmässan som Desprez utförde i Rom, valde han att ge kompositionen två naturliga brännpunkter, påven omgiven av kyrkliga dignitärer vid högaltaret och Gustav III med uppvaktning på den upphöjda tribunen. En lustighet i sammanhanget är det faktum att man, utöver den svenske kungen med den stora ordenskraschanen, även kan urskilja en annan medlem ur sviten som var välkänd för sin korpulens, nämligen Johan Tobias Sergel. Måhända ville Desprez på detta sätt göra reverens för Sergel som blivit hans vän och förtrogne.

Desprez, som genast efter sin ankomst till Sverige under sensommaren 1784, sattes i arbete med skådespelet *Drottning Kristina*, fick först två år senare tillfälle att fullborda den målning som Gustav III beställt i Rom. Jämför man det färdiga resultatet med den friska akvarellen måste man tyvärr konstatera att mycket av konstnärens inlevelse och bravur hade försvunnit, när han skulle utföra samma motiv i olja. Även i kompositionellt och innehållsmässigt hänseende hade Desprez blivit tvungen att anpassa sig till beställarens krav. Tydligen ansåg Gustav III att han i den förberedande skissen hamnat på en alldeles för undanskymd plats. I den målade versionen framställdes han nu, jämte Josef II, som skridande mot altaret i spetsen för ett stort följe. Kompositionen blev på detta vis mer sammanhållen, men i gengäld var konstnären tvungen att ge avkall på sanningskravet. Man kan nämligen tvivla på att den furstliga processionen verkligen tog sin början mitt under pågående gudstjänst, allra minst under det ögonblick då påven höjer sakramentet mot altaret.

Desprez fullbordade målningen 1787 och symptomatiskt nog blev detta teatrala motiv upphängt i Gustav III:s våning i Operahuset. Konstnären utförde däremot aldrig någon målad version över det andra ämnet, påskmässan, som det ursprungligen var tänkt.

128

Gustav III bevistar Julmässan i Peterskyrkan i Rom, 1783

Olja på duk, 153 × 357 cm

NM 802

Påskrift: *Despres.*

Följande år var Desprez sysselsatt med en ny kunglig beställning: *Striden mellan crotonienserna och sybariterna*. Även denna gång var motivet ett ämne som konstnären redan berört i sina teckningar från Syditalien. Bl.a. hade Desprez tecknat den sköna vyn av den plats där den antika staden Sybaris en gång låg. Samma utsikt hade Desprez dessutom begagnat för en framställning i sepia av det fältslag som invånarna i grannstaden Croton vunnit över Sybaris under forntiden.

Det var nu inte bara i den egna produktionen som Desprez fann lämpliga förebilder. Han tycks även ha sneglat på renässansens och barockens berömda bataljmålningar, däribland Rafaels och Giulio Romanos *Konstatinslaget* och Charles Le Bruns *Slaget vid Granicus*. Trots sitt eklektiska arbetssätt med direkta citat ur konsthistorien förmådde Desprez ändå inte åstadkomma en väl sammanhållen bild av den figurrika kompositionen. Man letar förgäves efter ett fokus i detta kaos av stridande män. Endast den blonda färgskalan bidrar till att dämpa intrycket av det blodiga i skådespelet. Mot denna bakgrund är det en smula märkligt att Fredenheim räknade Desprez' målning till konstnärens främsta.

129
JOHAN FREDRIK MARTIN (1755–1816)
efter Desprez
(1743–1804)

Svenska chefsskeppet "Gustaf III" efter slaget vid Hogland 1788

Linjeetsning och akvatint. 485 × 700

NATIONALMUSEUM 1779/1913

Desprez' väldiga målning (359 × 422 cm) ingår i Rosersbergs samlingar

BATALJMÅLNINGARNA

Efter att kriget mot Ryssland lyckligen var överståndet 1790 och fredsfördraget raticiferat i Värälä den 19–20 augusti fick Desprez av Gustav III beställning på elva målningar i varierande format. De skulle glorifiera de viktigaste sjöslagen och *träffningarna* till lands under kampanjen och ingå i ett nytt galleri ute på Drottningholm som pendanger till Lemkes tidigare bataljscener kring Karl X Gustavs och Karl XI:s mellanhavanden med danskarna under 1600-talet.

Denna detalj hämtad från den sista i raden av skildringar av sjöslag under ryska kriget, "Utbrytningen ur viborgska viken", fullbordad så sent som 1801, visar att Desprez här lyckades kombinera det traditionella bataljmåleriet med teaterdekorens olika planförhållanden. Nationalmuseum

I det långsträckta rummet skulle hela ena kortväggen täckas av den svenska flottans andra möte med ryssarna vid Svensksund den 9–10 juli 1790, där kungen vann sin viktigaste seger under kriget. Utrymmet på den andra kortväggen var i något mindre format vikt åt hertig Karls insats såsom amiral under slaget vid Hogland den 17 juli 1788. Längs galleriets långsidor, med en mängd öppningar för fönster och dörrar, tänktes i huvudsak mindre målningar vara placerade. Med undantag för *Slaget vid Fredrikshamn* (15 maj 1790) och *Utbrytningen ur Viborgska viken* (3 juli 1790) skulle dessa skildra den svenska arméns bragder.

Desprez hade aldrig varit närvarande vid någon av bataljerna han satts att skildra och endast tre målningar, *Svensksund*, *Hogland* och *Utbrytningen ur Viborgska viken* kom till utförande. Den första skildringen måtte ha kommit till i rekordtempo, inom loppet av oktober och november månad 1790. När Gustav III gav sin segerfest för Stockholms borgare den 19 november på

Operan, fanns den stora målningen på plats. Sina främsta förtjänster äger den i den dramatiska skildringen av krutrök och moln.

Nästa bataljscen Desprez färdigställde var *Slaget vid Hogland*, som han utförde både i en officiell version och i en komposition efter eget huvud, *Segern vid Hogland*. I den sistnämnda bilden är det teaterdekoratören som fört penseln. På teatervis har Desprez klart skiktat målningen i olika plan, där örlogsfartygen fungerar som kulisser. Fokus i framställningen är det svenska chefsskeppet *Gustaf III*, med det svenska manskapet som hyllar storamiralen, hertig Karl. Till vänster syns ett av de ryska skeppen, *Vladislaff* som strukit flagg. Döda matroser fyller relingen och dras upp ur vattnet.

Det stora programmet med olika bataljer från kriget entusiasmerade aldrig Desprez. När Gustav III befann sig i Aachen, sommaren 1791, fick han rapporter om att konstnären ännu inte påbörjat arbetet med de resterande målningarna. Enligt en brevskrivare ägnade sig Desprez hellre åt andra konstnärliga aktivi-

teter som intresserade honom mera. Efter Gustav III:s död tvingades dock Desprez att återuppta arbetet. Konstnären mäktade emellertid bara med att avsluta ytterligare en målning: *Utbrytningen ur Viborgska viken.* Resultatet blev konstnärligt lyckat, genom att Desprez förmådde kombinera en traditionell bataljscen med effekter hämtade från teatern. Någon historiskt korrekt skildring är det emellertid inte, utan snarare en anekdotiskt berättande.

Trots att Desprez ännu många år efter Gustav III:s död ej hade fullbordat de bataljmålningar som den avlidne kungen beställt, fick han ändå i uppdrag av Gustav IV Adolf att skildra faderns besök i Tivoli 1784.

Uppenbarligen var Desprez mer road av detta ämne än bataljerna från ryska kriget, eftersom motivet inbegrep både tidens smak för det anekdotiska och det pittoreska. Konstnären hade redan under Romåren utfört en praktfull akvarell av Tivoli med Sibyllans tempel, att tjäna som förlaga till en av Francesco Piranesis konturetsningar. Konstnärens kompanjon, Piranesi kom emellertid aldrig att gravera den populära turistvyn. I stället använde sig nu Desprez av samma motiv för den kungliga beställningen, men han var knappast trogen de studier han själv utfört på platsen. I målningen har ljuset blivit mer dramatiskt och proportionerna helt förändrats. Klippan, kaskaden och

130
Scen ur skådespelet "Fale Bure", ca 1795
Olja på duk, 84,5 × 125 cm
NM 4765

131
Förslag till Bernstorffsmonument i Köpenhamn
Olja på duk, 49 × 36 cm
NORRKÖPINGS MUSEUM A 25

132
Förslag till obelisk på Brunkebergstorg, Stockholm
Olja på duk, 49,5 × 35,5 cm
NORRKÖPINGS MUSEUM, A 26

t.o.m. Sibyllans berömda tempel verkar mycket större och resligare här än i verkligheten. För att de olika bildplanen skulle motsvara de krav som konventionen ställde var Desprez tvungen att ändra i bakgrundslandskapet så att det blev till en än mäktigare "skärm". Han måste också lägga till ett förgrundsplan med figurer och höga träd på en upphöjd platå för repoussoireffektens skull. Myllret av figurer och flaggor, däribland den svenska, gjorde visserligen motivet brokigt men bidrog ändå till koloriten. Till den ita-

lienska folkloren valde Desprez att foga en egenartad
nordisk accent i form av två lövade "majstänger",
resta på sluttningen utanför staden.

När Fredenheim besökte Desprez' ateljé i mars
1797, hade konstnären hunnit avsluta målningen till
två tredjedelar. Med största säkerhet var Tivoli-mål-
ningen fullbordad vid utgången av samma år, eftersom
den finns upptagen i konstnärens meritförteckning
1798. Vid sidan om *Utbrytningen ur Viborgska viken* blev
detta Desprez' sista betydande målning.

133

Gustav III:s besök i Tivoli 1784

Olja på duk, 238 × 182 cm

NM, Drb mål 543

Grafikern

RAGNAR VON HOLTEN

et finns ett speciellt skäl till att ägna *grafikern* Louis Jean Desprez en särskild uppmärksamhet. Vid sidan av sina många blad med topografiska, teatrala eller arkitekturala motiv har han utfört bilder, där han framstår som en medveten grafiker. En experimenterande konstnär som skapar blad helt och hållet tänkta för – och i – grafiska tekniker. Här är också hans teknik ganska okonventionell, och här framstår han ofta som en "modern", individuell, konstnärspersonlighet.

Om hans rent grafiska utbildning vet man inte mycket: tom Wollin är påfallande fåordig om den och påpekar, att skillnaden i utbildning till arkitekt, tecknare eller gravör vid denna tid inte var särskilt markant. (Däremot framgår det tydligt, att konstnären uppövade sin skicklighet under Italiensejouren.)

Som framgått tidigare, erhöll Desprez faktiskt sin första konstnärliga utbildning som grafiker, ty redan som tolvåring tycks han ha gått i lära hos den berömde Cochin. Troligen var det de konstnärliga erfarenheter som han här gjorde som så småningom ledde honom över till arkitekturstudiet, ty någon gång i början av 1760-talet påbörjade Desprez sin utbildning vid Académie Royale d'Architecture och blev så småningom lärare i teckning vid Ecole Royale Militaire. I båda dessa verksamheter kom han ständigt i kontakt med graverade blad. Några bilder som han utförde med J F Blondel som lärare, lät denne gravera, och de ingick i illustrationsmaterialet till Blondels arbete *Cours d'Architecture qui contient les leçons donnés en 1750, & les années suivantes*. Boken publicerades 1770, och på dessa gravyrer anges Desprez zom inventor och Marillier som gravör.

När han så i en arkitekttävling 1766 vann ett pris för sitt "projet de cimetière" (utkast till gravbyggnad), lät han också gravera teckningen och förse bladet med en dedikation till Voltaire. (Också det grafiska bladet har tidigare betraktats som egenhändigt, men av påskriften att döma har det Taraval som upphovsman.) Såsom redan nämnts, tycks emellertid Voltaire ha blivit förtjust i gravyren och visat den för flera inflytelserika personer, såsom skulptören Pigalle och konstsamlaren Hennin. Den 6 juli 1770 skrev Voltaire själv till konstnären och tackade, samt avslutade på typiskt ironiskt manér sitt brev med att intyga, att han själv var "fåfäng nog att snarast önska sig själv begraven i detta vackra monument".

År 1776 var det däremot Desprez själv som, antingen på eget initiativ eller på beställning av arkitekten Charles de Wailly, i etsning återgav dennes ritning till plafonden i stora salongen i Palazzo Serra i Genua. De Wailly var en mycket betydelsefull person. Han var en hög ämbetsman och huvudansvarig för Kungens och Akademiens byggnadsverk. Desprez' blad väckte stor uppskattning och beundran, varför han snart utförde två interiörgravyrer till, samt även etsade planen till palatset. Dessa gravyrer kom senare, förmodligen tack vare de Waillys tillskyndan, att publiceras i Diderots stora encyklopedi.

Nu erhöll Desprez också det efterlängtade Prix-de-Rome-stipendiet, men dessförinnan hade han utfört några helt magnifika blad av altaruppbyggnader samt av en baldakin, som också de bidrog till hans begynnande rykte som fantasifull arkitekturtecknare och grafiker.

Sommaren 1777 avreste Louis Jean Desprez till Rom, och från den italienska tiden härrör framför allt det väldiga arbetet på att illustrera abbé de Saint-Nons *Voyage Pittoresque de Naples et de Sicile*. De 136 miljöteckningarna med staffage som Desprez utförde till detta verk etsades emellertid av andra gravörer, varför det inte finns anledning att gå in på dessa arbeten i detta sammanhang.

Det blad som så småningom fick titeln *La Chimère de Mr Desprez* är däremot ett av konstnärens viktigaste grafiska arbeten från Italientiden. Chimären är ett grotesk, bevingat monster med tre huvuden och fladdermusvingar. Det är i färd med att äta upp, och delvis smälta, en flådd människogestalt. Av huvudena är två ett slags djävulshuvud och det tredje ett fågelhuvud. Monstret står vid ingången till en tunnelformad, murad grotta. Upptill t.v. ringlar sig en orm genom lövverket på valvet, och på marken syns en jättelik, rätvingad insekt med svans samt diverse benrester från

Avec Privilege du Roy.

Vattenkastare från taket av Notre-Dame i Paris

134

La Chimère de Mr Desprez, ca 1778

Etsning, m. inslag av kopparstick o torrnål 320 × 378

WOLLIN 22:III
NMG 213/1940

chimärens tidigare offer. I ett senare état av bladet trycktes en fantasifull textpresentation av djuret, där det bl.a. står:

"Denna förfärliga best, som var född i Afrikas brännande sand, hade skaffat sig ett tillhåll i ruinerna av den gamle numidiske konungen *Masinissas* palats. Under dess buk fann man en enorm ficka, där den stängde in de människor som utgjorde dess föda. Vart och ett av huvudena åt av den olyckliges lemmar; medan ett huvud sålunda tuggade, höll de båda andra fast offret. Detta monster befann sig i ständig rörelse, och det hade såväl vingar som sim-

135

Ruinlandskap med pyramid, obelisk och "Babels torn"

Akvarell o pennteckning i svart 565 × 750

NMH 1/1903

fötter. Man såg det ibland på land, ibland i vattnet. Dess storlek var större än elefantens. Det krävdes en stor mängd beväpnade soldater för att besegra det, liksom även hundar, rustade för strid".

Stilistiskt sett har figuren åtskilligt gemensamt med handskrifternas *drôlerier* och de gotiska kyrkobyggnadernas vattenkastare (särskilt gäller detta djävulshuvudena!), liksom med groteskerierna i exempelvis Callots *Antonii frestelser*. I tekniskt avseende är bladet helt mästerligt, med ett ytterligt genomarbetat nätverk av linjer tecknade med etsarnålen – och med ett förbluffande modernt drag: Offrets hår är av allt att döma ritat med torrnålen efteråt, och de toviga testarna kontrasteras effektfullt mot det noggrant genomförda etsningsarbetet.

Stilmässigt känns det också motiverat att till chimärbladet föra en (långt senare, av Hensingen etsad)

teckning med akvarell, som visar ruinerna av en valvbåge, med en fris av oxkranier, som öppnar sig mot ett stadslandskap med både pyramid och slingrande "Babels torn". Ett par (numidiska?) krigare ryggar förfärade vid ingången till grottvalvet, som är en övervuxen ruin, där marken är fylld av skelettdelar och ormar, av vilka en – med ett chimärliknande fågelhuvud – gapar över ett människokranium. Teckningen tillkom säkerligen under Desprez' svenska tid; mycket i den – inte minst den flygande ugglan – känns förromantiskt, men kanske bör man ändå placera det svårtolkade motivet i närheten av *La Chimère de Mr Desprez?*

Kopparsticket IN MORTE VITA (Institut Tessin, Paris) är en förbryllande, allegorisk komposition, som stilistiskt ligger nära *chimären*: bladet är inte upptaget i Wollins förteckning.

I mitten stormar en krigare med draget svärd fram över en sarkofag. Han anför en här, till vänster på bilden, som för ett banér med en enhörning, symbol för goda, ädla krafter. Härens förtrupp har redan dukat under, och en beslöjad gestalt drar undan ett skynke, blottande de döda soldaterna. I täckelset står att läsa IN MORTE VITA (= *I Döden Livet*).

Vem härföraren symboliserar är inte fullt klart – i

136

**In morte vita
(I Döden Livet), ca 1778**

Kopparstick 420 × 695

SAKNAS I WOLLIN
INSTITUT TESSIN, PARIS, G 905

varje fall står han för det Nya, den Nya tiden el dyl, eftersom krigarna tågar fram mot bakgrunden av en uppgående sol.

Sarkofagen är öppen; upp ur den tränger sig, som en fågel Fenix, Jupiters örn omgiven av blixtar. Symboliskt kan örnen förstärka intrycket av härförarens seger. Men till höger kommer motståndet i form av ett par furier bärande på en orm och en pil och hållande ett stenblock som en sköld framför sig. I fonden över dem ses en stenstod, krönt av en uggla, och med inskriptionen HUC USQUE (Hit men inte längre).

I mitten av kompositionen står en lutande gran, med rötter som likt ormar slingrar sig under sarkofagen, och längst till höger ligger några snödrivor, som kanske, trots allt, skulle kunna associera bladet till Desprez' svenska tid.

Under Italienvistelsen arbetar Louis Jean Desprez på att fördjupa sin grafiska teknik, och bl a är det nu som han lär sig använda akvatint. Till en början arbetar han över två tidigare linjeetsningar, lite ojämnt än

så länge. Men så utför han en serie om fyra "egyptiska" gravkammarfantasier i etsning och akvatint, och lyckas få fram intrycket av laverade tuschteckningar. Bilderna är klart "skräckromantiska" till sin karaktär, och mycket suggestiva. Det tycks vara den teatrala sidan av gravvalv med egyptiserande Dödengestalt, resp lejon och sfinxer, som intresserat konstnären. Eventuellt kan motiven möjligen ha någon anknytning till Frimureriet? I samtliga gravyrer är akvatintens gråskalor klart redovisade, men ibland retuscherar konstnären bladen med täckvitt.

Den stora akvatintetsningen *Prise de Sélinonte par Annibal* (*Hannibal intager Selinunt*) är kanske hans intressantaste blad över huvudtaget. I ett första état, tryckt i rödbrun ton (Kungl Biblioteket, Sthlm), är det först och främst den med etsarnålen tecknade *bilden* som redovisas: den brinnande staden med sina tempel, de rörliga människomassorna, flottan som belägrar Selinunt. Över linjeetsningen har konstnären därefter lagt skyar av akvatint – rökformationer och moln med en flammig verkan, som dock hela tiden låter ana den bakomliggande teckningen.

Men det är i bladets andra état som det händer! Nu behärskar Desprez tekniken till fulländning, nu kan han *måla* med akvatinttonen, på ett sätt som känns helt "modernt". Han lägger ny akvatint på plåten, etsar den hårt och länge, och låter på så sätt mycket av teckningen försvinna bakom rök- och molnmassorna.

137

Tombeau a (Gravvalv)

Akvatintetsning 315 × 478

WOLLIN 26
INSTITUT TESSIN, PARIS, G 425

Döden med egyptisk peruk tronar framför en grav prydd med hieroglyfer. Han bär krona, spira och äpple. Över honom en rykande låga. T h, i en valv-nisch, skymtar två nakna människofötter.

Bladet ingår i en serie om fyra.

138

Tombeau c (Gravvalv)

Akvatintetsning 340 × 488

WOLLIN 28
INSTITUT TESSIN, PARIS, G 428

En sarkofag buren av fyra egyptiska sfinxer med långa peruker. Gaveln saknas, och i öppningen, kantad av hieroglyfer, skymtar två nakna människofötter. På sarkofagen en uggla med utbredda vingar. T v i en nisch skymtar en urna.

PRISE & EMBRAZEMENT DE SÉLINONTE PAR ANNIBAL

Dédié a Son Excellence Monsieur le Marquis de Clermont Chretienne Prés le Roy *Dambouse Ambassadeur Extraordinaire de Sa Majesté Très des deux Siciles*

Par son très humble & très obéissant Serviteur Desprez

139

Prise de Selinonte par Annibal
(Hannibal intager Selinunt)

Akvatintetsning (2 ét) 448 × 714

WOLLIN 30:II
NMG 1662/1913

Han sparar ut vågornas blänk i vattnet i förgrunden, som nu får kontrasteras mot den omgivande svärtan, och han polerar bort detaljerna i tempelfasaderna med polerstål. På så sätt blir staden Selinunt synlig genom skyar och dis, i en öppning i de mörka rökmassorna. Dramatiken är stegrad till det yttersta, och man förstår fullkomligt Prosper de Baudicourts häpna beundran, när han i sitt uppslagsverk *Le Peintre-Graveur français ... etc* (1861) utropar, att gravyren är "d'un effet extraordinaire". – De dramatiska, nattliga ljuseffekter, som i framtiden skulle prägla så mycket av konstnärens scenerier, förekommer alltså redan här, i ett svart tryck denna gång, som inte behöver framhävas eller förstärkas ytterligare med hjälp av tempera eller akvarell.

Vad beträffar Desprez' satirer kring en läkarpromotion, så har dessa fyra bizarra akvatinter hittills upplevts som ganska svårtolkade. Ett spännande och vär-

defullt forskningsarbete kring denna svit har under 60-talet utförts av teaterhistorikern Karl Olov Gierow, i en studie som av allt att döma inte blivit publicerad, (titel: "Desprez fyra läkarsatiriska gravyrer som teaterhistoriska dokument"). I fortsättningen kommer jag ofta att referera till detta manuskript eller citera ur det.

De fyra etsningarna har tillkommit under konstnärens svenska tid (1784–1804), och på baksidan av ett av bladen har Nils G Wollin funnit spår av en tidning, daterad 13 augusti 1794. Alltså bör kopparplåtarna ha färdigställts i början av 1790-talet, och tryckningen ha verkställts senast detta datum. Till sviten hör också en på franska avfattad, graverad förklaring av Desprez, och där kallas de olika figurerna med namn hämtade från Commedia dell'arte.

"På *bild 1* är personerna vända åt höger, som i en stelnad procession. En vitklädd barfota man iförd luva, som i vänstra handen håller ett kärl ur vilket ånga stiger, sitter på en nattstol, vars undre lock ligger synligt för åskådaren på stolens högra sida. Det övre locket lutar mot mannens rygg. På detta lock är fastbunden en bok, ur vilket en bakomstående man läser" ... "iförd glasögon och skägg. Han bär i högra handen en stav. Båda händerna är lyfta som till besvärjelse. Han är iförd en hög hatt av det slag som i bildframställningar brukas av doktorer, en hermelins-

mantel med stola-liknande band samt släp. Bakom
honom står bredvid varandra två figurer, iförda svarta
hättor och vida vita kostymer. De håller vardera en
fackla. Mellan sig har de doktorns släp. Detta bäres
upp av en man som står bakom dem"... "iförd man-
tel, spetskrage, bredbrättad hatt och svärd. Processio-
nen avslutas med tre män, klädda som de bägge fackel-
bärarna... De skyldrar inte med gevär, utan med
lavemangssprutor".

På *bild 2* är motsvarande procession vänd åt väns-
ter. Den inleds med en vitklädd man, vars dräkt
påminner om fackel- och klistirsprutebärarna på bild
1. "I högra handen håller han en fackla" och "bär den
liksom i en ljusstake uppe på hjässan. Hans rygg är
böjd för att kunna stödja den bok, ur vilken en frontalt

140

**Le Grand docteur Pantalon explique la science de la
médecine
(Den store doktor Pantalone förklarar den medicinska
vetenskapen)**

Akvatintetsning, förhöjd med lavyr, 220 × 380

WOLLIN 34:II
NMG A 170/1975

I sina första états är bladen linjeetsningar, främst avsedda
att akvarelleras.

141

**Le Grand docteur et le squelette d'un "Somare"
(Den store doktorn och skelettet av en "somare", = ett
slags åsna)**

Akvatintetsning, förhöjd med lavyr, 230 × 381

WOLLIN 35:II
NMG A 169/1975

placerad man läser" iförd en "egyptiserande dräkt. På huvudet har han en hätta, som avslutas med två långa band försedda med tofsar, vilka vilar mot mannens bål. Också hans krage är hermelinsbrämad och han" bär "en kedja om halsen och en nyckelknippa om midjan. Med sin vänstra hand berör han kraniet på ett åsneskelett" ifört "doktorshatt och två stola-liknande band, pipkrage, hermelinsbräm och kedja. Den mittersta av tre personer längst till höger på bilden lyfter på den mantel som har täckt åsnan och blottar skelettets bakdel. De båda andra männen är lätt framåtböjda, som om de skådade något märkvärdigt" och bär "vida vita dräkter"... "Den mittersta mannen bär en svart dräkt, hätta och hermelinskrage. Bakom åsneskelettet"... "står en man, klädd som den som läser ur boken och vidrör åsnans kranium." Han "bär på ett hyende en doktorshatt."

Bild nr 3 har inte samma uppbyggnad som de bägge föregående. Rörelsen är här "riktad mot mitten, inte"... "åt respektive höger och vänster. Längst till vänster"... "står på ett postament en rakt timrad stol, vars bägge karmar bär upp brinnande kandelabrar. I den sitter en man iförd svart mantel, doktorshatt och har fötterna stödda mot ett hyende. I näsan bär han en klämma. Han bevittnar hur en äldre kvinna från höger på bilden skjutes in på en skottkärra av en vitklädd man" vars "rock... på baksidan" är "försedd med en tofs." Tydligen har han "en tygbit för ansiktet, Kvinnan är iförd en hätta och har i magen en kran, ur vilken vätska sprutar ned i ett kärl"... "till vänster om bildens mitt. Bakom kärlet står en "man med tångliknande instrument i händerna" och bakom honom "ytterligare ett postament, som är försett med apparater"; enligt Desprez är det elektricitetsmaskiner.

Den *sista bilden, nr 4* har liksom den föregående sin rörelse från två håll och är riktad mot mitten. "Till höger, på en förstärkning av grundpostamentet, finnes en stol, som är något mer ornerad än den i bild 3". "i den sitter en doktor, iförd svart kappa, hermelinsbrämad mantel, doktorshatt, glasögon och en kedja, som prydes av ett litet kranium, han bevittnar en lavemangsscen. En hättklädd gumma, lik den på bild 3, stoppar in en lavemangsspruta i bakdelen på en åsna. Två betjänter med ansiktena vända mot varandra..." "står beredda att med ett kärl fullfölja lavemangsbehandlingen. De är klädda i vita... vida kläder. Åsnan, som är försedd med tofsar och schabrak, hålles i styr"... "av en man, som sitter baklänges på djurets rygg. Han är klädd i vita, löst hängande kläder, och i motsatts till de båda andra tjänarna på bilden har han ett slags skärp och en huva eller hätta, ett slags väpnarmössa eller en bödelshätta kanske. Den går långt ner på axlarna och kan möjligen sägas vara försedd med åsneöron. Från åsnans mun utgår en töm, vars

andra ände mannen bär i sin egen mun. I högra handen håller han en brinnande fackla, i den vänstra något som kan sägas vara en halmviska och som möjligen har samband med lavemanget: det kan också vara åsnans svans." (Det sista troligast.)

Gierow framkastar tanken, att bilden kan ha ett annat innehåll än skildringen av ett lavemang. Han citerar beskrivningen av nesliga, s k "narr-triumfer", och han uppehåller sig speciellt vid den i historiska krönikor omnämnda behandlingen av Peder Sunnanväder och mäster Knut, uppviglare mot Gustav Vasa. De fick göra ett snöpligt intåg i Stockholm, iklädda "gamla utnötta och slarvota korkåpor, ridande bakfram på svultna hästar, Peder Sunnanväder med halmkrona på huvudet och ett söndrigt träsvärd vid sidan, mäster Knut med en biskopsstav av näver". Gierow tillägger att episoden är aktuell i Gustav III:s pjäs *Gustaf Wasa* till vilken ju Desprez gjort dekor och kostymer.

Men associationen till Gustav III:s drama är något av en parentes. Viktigare är, att Gierow går vidare på Wollins tanke, att akvatintsviten hör samman med pjäsen *Vulcani utbrott*, som Desprez satte upp i Göteborg 1790. Redan Wollin citerade Stockholms-Posten den 25 september 1790, som upptog en innehållsredogörelse av pjäsen, kallad "Divertissement, blandat med Pantomime uti 5 Ackter":

"Klockan slår två: twenne druckna komma in och göra gräl; Arlequin kommer med sin Zitra at ge en Serenad under fästmös fönster. Det dagas, kl. slår 4. *Poriginelle* kommer uti sin bod, flera Arbetare komma at hos honom äta Macroner. Arlequin går äfven dit, men som han är för snål, skyndar Poriginelle sig at afskära Macron-ändarne, hwarwid Arlequin uti hastigheten mister halfwa näsan (= näsan); han blir botad av *Pontalon*."

Detta var första akten; den tredje lyder:

"Theatern föreställer et rum uti Medicinska Faculteten. *Pierrerne* arbeta; *Oritocond*/huvudpersonen/ kommer för att begära Medicamenter åt *Lady*/Oritoconds gemål/ som är sjuk han blir införd til Faculteten och får hjelp. *Pontalon* och *Arlequin* blir inkallade; Arlequin anför klagomål mot Pontalon öfwer den nästan (= näsan) han gifwit honom; Pontalon förswarar sig, tager bort den stora näsan och gifwer honom en annan i stället; alla Doctorerna antaga Pontalon till Medbroder; de laga sig i ordning till Processionen begynnes och Promotion sker".

Och Gierow skriver i detta sammanhang: "Ytterligare ett band mellan gravyrsviten och föreställningen är en notis i Göteborgs Tidningar den 5 september 1790, där det meddelas, att teaterdirektören vidtagit vissa stympningar av texten därför att den innehöll för många grovheter. Bl.a. har han i tredje akten låtit utgå

en scen, där den sjuka ladyn hämtar ett lavemang och där en kvinna som har vattusot släpar sin mage framför sig i en kärra." Det finns alltså all anledning att föra akvatintsviten till Göteborgsföreställningens motivvärld; kanske är det t o m så, att de fyra bladen "visar den föreställning som Desprez *gärna skulle ha sett framförd*". (Gierow) Eventuellt kan bildsviten ses som ett angrepp på teaterdirektören som censurerat pjäsen.

I femte akten äger vulkanens utbrott rum – här Stockholms-Postens referat: "Vulcanen kastar eld, Jorden skakar; Grafwarne nerfaller; äfwen kyrkan; Lafwan från Vulcanen nedströmmar, antänder staden; alla klockor ringa; Inwånarne kommer förskräckta; Helgonet frambäres; det gör Miracel; Vulcanen upphörer; luften klarnar; en Triumph-Båge nedkommer

142

Operation de l'Hydropisie (Botande av vattusot)

Akvatintetsning, förhöjd med lavyr, 220 × 375

WOLLIN 36:II

NMG A 172/1975

143

Le Lavement (Lavemanget)

Akvatintetsning, förhöjd med lavyr, 226 × 370

WOLLIN 37:II

NMG A 171/1975

Bladet ingår i en serie om fyra, och samtliga motiv återfinns på den stora kompositionen *Promotion médicale* (WOLLIN 39). Till serien hör också en skriftlig beskrivning på franska, som etsats på *en* plåt.

på Theatern; Freden följd af Genier och 2:ne Hjeltar kommer at dela åt folket sina Palmqwistar; alla åtföljgas till Templet at aflägga sin Tacksägelse.''

Gierow anser att Desprez själv troligen är styckets upphovsman, påverkad av italiensk commedia dell' arte och av engelska spektakel. Alla fyra bladen har en stor rikedom på gråskalor, men trots detta är de så gott som alltid retuscherade i lavyrtoner. Gierow går ytterst detaljerat in på de olika belysningseffekternas återgivning och på det teatrala i framställningen, med parallella golvtiljor osv.

145

Armoiries (Vapenkartusch)

Akvatintetsning, 123 × 139

WOLLIN 38
KGL. BIBLIOTEKET, STOCKHOLM, 5 H:5

144

Satir med korsfäst Pantalone, ca 1797

Pennteckning i brunt, 202 × 337

NM H 1831/1875

Denna teckning med antika/mytologiska resp antiklerikala inslag torde ha tillkommit samtidigt med Sergels antireligiösa nidteckningar. Den korsfäste Pantalone har, liksom centralfiguren i fotsid mantel, släktskap med *Promotion médicale* och de övriga akvatinterna.

Till denna svit på fyra blad bör väl också föras den lilla miniatyr i akvatint (Kungl Biblioteket, Sthlm), där Desprez roat sig med att skapa en kartusch, eller vapensköld, föreställande en potta, i vilken växer en blomma krönt av en dödskalle med doktorshatt och omgiven av korsade lavemangssprutor. Wollin förmodar, säkerligen med rätta, att bladet utgör ett utkast till kartusch i textfältet till dessa fyra blad och/eller det femte, större, se nedan!

Mot slutet av sitt liv, omkr år 1800, utförde Desprez nämligen två gravyrer i stort format som linjeetsningar, så småningom överarbetade i akvatint av Johan Fredrik Martin. Båda är teatraliskt hållna, och mot en stads- eller byggnadsfond grupperar sig bizarra, myllrande folkmassor. Som motiv/titel bär de namnet *Promotion médicale*, resp *Indulgences plénières* (total syndaförlåtelse). Bladen förekommer alltså dels som linjeetsningar, dels som akvatinter tryckta i svarta resp i bruna toner, och dessutom förekommer de i flera akvarellerade versioner, åtskilliga av dem egenhändigt kolorerade av Desprez.

I sin studie ''Louis Jean Desprez and his Sicilian Recollections'' har Per Bjurström visat, att *Indulgences plénières* ursprungligen går tillbaka på en (aldrig

146

Promotion médicale (Doktorspromotion)

Akvarellerad linjeetsning, 555 × 875

WOLLIN 39
NMG 1032/1869

Linjeetsningen sedemera överarbeted med akvatint av Johan Fredrik Martin och tryckt i svarta eller brunröda toner.

147

Indulgences plénières (Total syndaförlåtelse)

Akvarellerad linjeetsning, 550 × 850

WOLLIN 40
NMG 1033/1869

Linjeetsningen sedemera överarbetad med akvatint av Johan Fredrik Martin och tryckt i svarta eller brunröda toner.

*Teckning från Sicilienresan.
Aldrig använd skiss för Saint-
Nons Voyage pittoresque.
Pennteckning i brunt, rödkrita
NMH 51/1874:45*

använd) skiss till Saint-Nons *Voyage pittoresque*. Det rör sig om en liten pennteckning i brunt, i Nationalmusei teckningssamling; i sammanhanget tar Bjurström också upp de skisser av sicilianska processioner, där deltagarna bär kåpor med hål för ögonen, s k *cuculli*. I den (i förhållande till skissen) spegelvända gravyren har konstnären gjort bakgrundsbyggnaden mera imposant och höjt dess torn. De olika figuranterna i processionerna förekommer i flera terrasserade avsatser över varandra, några invecklade i ganska obscena sammanhang. Delvis beror väl detta på konstnärens speciella fantasi, men Bjurström menar, att också vissa autentiska seder och bruk måste ha väckt Desprez' häpnad när han på sin tid besökte Sicilien.

Vad beträffar *Promotion médicale*, så har bladet utformats som en pendang till den förra gravyren. Här går flera av motiven från de fyra läkar-satirerna igen; grupperingarna upprepas på olika upphöjningar/ scengolv, och längst t h har konstnären roat sig med att återge en sannskyldig parad av blottade bakar, inväntande lavemangssprutan.

Louis Jean Desprez—his life and work

There is general agreement today on the enduring value of Gustav III's patronage of the arts, but at the same time one tends to forget that many of his contemporaries saw nothing but extravagance in the King's artistic bent. There was widespread disapproval of his recruitment of foreign artists instead of native ones. No amount of criticism, however, could deflect the King from his purpose. Concerning the French stage designer architect Louis Jean Desprez, for example, he is reported to have said: "Nobody has the least vestige of imagination except myself and Desprez."

After the King's death 200 years ago—at the fateful opera masked ball—Desprez had to pay the penalty for his favoured status. In the grim cultural climate ushered in by the assassination, he and his artistic achievement were relegated to long-lasting oblivion.

Nationalmuseum's Desprez exhibition, on the occasion of its bicentenary, is an attempt to redress the balance.

Louis Jean Desprez was born in 1743 in Auxerre, the metropolis of the noble wines of Burgundy. Little is known about his childhood and schooling, except that, at the age of 12, he became a pupil of the draftsman and engraver Charles Nicolas Cochin in Paris. This gave him the training of a graphic artist, and in his early work one perceives the influence of both Stefano della Bella and Jacques Callot. A series of anonymous engravings in Bibliothèque Nationale, inspired by the Commedia dell' Arte, probably also come from the hand of the young Desprez.

The engraver's profession included illustrations for literature of most kinds, from fiction to building, and perhaps it was this latter subject which gave Desprez his initiation into architecture.

One of his teachers describes him at this time as very talented but self-opinionated and headstrong. Perhaps this is why, time and time again, Desprez failed to win the coveted Grand Prix de Rome. When this dream of his finally came true, he was 33 years old, which in many people's opinion was far too late. But he was aptly prepared, thanks to a solid training as draftsman, engraver and architect and a first-hand knowledge of stage design.

Desprez came to Rome in the summer of 1777. The French, Count d'Angiviller, had helped him to find an apartment until his scholarship home in Palazzo Mancini was ready for occupation, but before long there was a change of plan. Desprez was commissioned to illustrate Abbé de Saint-Non's *Voyage pittoresque, ou description des royaumes de Naples et de Sicile.* Obtaining sabbatical leave from his scholarship, he went south in December.

Voyage Pittoresque

Desprez was accompanied by the future diplomat Vivant Denon, who was to write the text of Voyage Pittoresque, and a number of other artists, of whom Claude-Louis Châtelet was the most notable. Châtelet and Desprez were to do most of the illustrations. Desprez was mainly allotted the architectural pictures, and his sketch books are full of meticulous measured drawings. Sometimes, though, the pictures are also dramatised by a turmoil of fantasy figures and a tempestuous plot.

Returning to Rome nine months later, Desprez took with him an impressive corpus of material to say the least of it. This later formed the basis of a succession of engraving originals which kept him occupied for several years. Of the great mass of illustrations in Voyage Pittoresque, he delivered no fewer than 136.

Thanks to the indulgence of his superiors, Count d'Angiviller among them, Desprez, now back in Rome, was able to spend several years working on Voyage Pittoresque and completing the originals for the engravings. The following year, as proof of his industry and as a token of gratitude to Count d'Angiviller, Desprez sent him a few architectural projects, among them the drawings for public baths. But in actual fact he had decided to curtail his studies of architecture and to devote himself entirely to other things.

In the south of Italy Desprez had become a skilled topographical draftsman, added to which he had a knack of utilising every theatrical effect in his depictions of religious ceremonies and the life of the common people. He was well aware of the sales potential of these subjects. The Swede Louis Masreliez, writing home in 1781, mentions that Desprez and Francesco Piranesi have scored great successes in this genre and that they propose competing with the team of Volpato & Ducros, who have cashed in on the market for tourist views of Rome. When Desprez set out for Sweden in 1784 he had already completed five out of ten contour etchings of Roman and Neapolitan views. These watercoloured etchings also include two pictures of religious ceremonies, one from a Papal Mass and one of the burning Lenten Cross in St Peter's—a theme well attuned to the Romantic period's taste for the sublime and picturesque. Desprez's study is a superb play on the contrasts of light and shade in the choir. A watercolour from the same time illustrates the splendid vestments and theatrical atmosphere of an episcopal induction conducted by the Pope.

In November 1782 Desprez clearly thought that the time was opportune for revealing his true ambitions to the Academy of Architecture in Paris, and he presented them

Gustav III attending Christmas Mass in 1783, in St Peter's, Rome. Detail. Cat.nr 129

with a large drawing of the interior of St Peter's instead of plans for a building. His "defection" did not come as a surprise to Lagrenée, the Director of the Academy in Rome, who requested, on the artist's behalf, that he should still be allowed a room in the Academy building, Palazzo Mancini, so that he could go on with his studies of painting. It might have been feared that Desprez's principals would feel let down, but their reaction was quite the opposite. The (First Surveyor), Count d'Angiviller, said he was convinced that Desprez would do better as a painter than as an architect, and accordingly granted his request. Desprez was allowed to keep his room at the Academy for another two years, but he was not destined to occupy it for more than one year, because he now entered the service of Gustav III.

Swedish involvement

Gustav III had arrived, incognito, in Rome on Christmas Eve 1783. This was to be a turning point in Desprez's life. The French Ambassador to Rome, Cardinal de Bernis, allegedly advised the King to retain the French artist, who at this particular time was in the news because of his stage designs for a ballet about Henri IV of France. Now Gustav III needed somebody capable of masterminding the stage decorations for the historical dramas he was working on during his journey, including one about *Queen Christina*.

The King's offer was so irresistible—principal charge of stage design at the Royal Opera in Stockholm, with an annual salary of 4,800 livres, free living quarters and another 150 sequins for travel expenses—but on 28th April, without even asking his Academy principals for permission, Desprez signed the contract which Sergel had drawn up. Once more the infinite patience of the French (First Surveyor) rose to the occasion. While deploring the loss to France of a great talent, he noted with pride that, yet again, one of the princes of Europe had opted for the services of a *French* artist.

Desprez stayed on in Rome for a while to make preparations for two paintings which Gustav III had commissioned, the Nativity Mass and the burning Lenten Cross. The short time remaining, however, was only sufficient for preparatory sketches and a rough outline of the composition. All the detailed studies and the general schemes for both paintings have survived, and they show that, despite the great shortage of time, the artist was greatly inspired by his task.

On 24th July 1784, Desprez left Rome.

The early years in Sweden

Not much is known about Desprez's initial period in Sweden. His letters confirm the great benevolence and appreciation shown to him by Gustav III, but we know that, from the outset, his working conditions were chaotic. He had no proper living quarters and no serviceable studio. Privy Councillor Axel von Fersen has described how, "to provide a studio and a home for this new decorator", the old arsenal building (the palace of "Makalös") had to be evacuated in such haste that much was destroyed or lost, after which new partition walls had to be built and new tiled stoves installed in the depth of winter.

Then again, Gustav III did not make things any easier for Desprez by choosing the theatre of Gripsholm Castle for a première performance on twelfth night 1785. Von Fersen recalls that there was no room there for a studio and no arrangements for the hanging of scenery. But Desprez's first work on Swedish soil materialised in defiance of these primitive working conditions.

His stage design for the première performance of *Queen Christina* was a sensation. The source of inspiration, without any doubt, was his illustrations for Abbé de Saint-Non, with their Norman Gothic and scenes of everyday life in the south of Italy. Studies of *Svecia Antiqua et Hodierna* added very little in the way of Nordic ambience. Instead, Desprez's mercurial capacity for association created an enchanted world of fantasy, with scenic properties quite different from those of the stereotyped Baroque scenery to which people in Sweden were accustomed.

In spite of this success, criticism was quickly forthcoming, especially from Swedish scenery artists like Mörck and Brusell who had studied abroad. Many looked on Gustav III's recruitment of Desprez as "an active infidelity", because earlier the King had promised not to retain any artists who were not members of the Royal Academy of Art. In a formal sense, it is true, this problem was overcome by the election of Desprez to the Academy on 3rd February 1785, but that did little to improve things. There were acid comments, but as von Fersen observed, so long as Gustav III remained alive, nobody could seriously threaten Desprez, in spite of a few skirmishes.

Desprez already had friends in Stockholm when he came to Sweden in the summer of 1784. In Rome he had made the acquaintance of several young Swedish artists, Wertmüller and Masreliez among them. None of them, however, was to mean so much to Desprez as Johan Tobias Sergel.

Desprez and Sergel

Desprez and Sergel are unlikely to have met in Rome in 1777, but they became close friends after the agreement was concluded in April 1784 which made Desprez the King's stage designer. Sergel was also instrumental, two years later, in getting the contract renewed.

Sergel was better able than most to appreciate Desprez's artistic qualities. In fact, a large proportion of his water-colours, drawings and sketches in Nationalmuseum came from Sergel's collection, and many of them materialized during and after discussions between the two of them in Sergel's home. This is the case, for example, with projects like the Temple of Amor at Haga. Sergel was undoubtedly the dominant party when they worked together, and he was frequently called upon to act as Desprez's adviser and promoter.

The two friends were in many ways differently placed, but there was one private problem which they had in common: both of them were living in "common law marriages" unsanctioned by the Church, which was very unusual in 18th century Sweden. Desprez had rudely expelled his wife from Rome already in 1783, and for a long time she was unaware that he had gone to Sweden. It was not until 1786 that, by devious routes, she found out about his Swedish contract and, after petitioning Gustav III, was made an allowance, deducted from Desprez's emoluments. Desprez was probably accompanied from Rome by another woman, Thérèse d'Ange, with whom he had been living for a year, but when visiting London in 1790 he eloped with Charlotte Pembroch de Saly, the wife of an innkeeper, and she was to be his companion for the rest of his life. They are included in Sergel's well-known depiction of the party at "Kräftriket" (Realm of Crayfish), a tavern on the outskirts of Stockholm. Sergel frequently portrayed his friend Desprez, both more or less officially in portrait medallions and in caricatures of various kinds.

Voyage pittoresque in Finland

The Head of the Royal Chancery, Gustaf Philip Creutz, was a native of Finland and a keen enthusiast for that part of the Swedish kingdom. Another erudite Finn, Carl Fredrik Fredenheim, suggested that he publish a *voyage pittoresque* about Finland, and said in many words that Desprez would be just the man for the job. Creutz wrote to Gustav III, requesting aid for the project and stressing among other things that "it would be gratifying if a *voyage pittoresque* in Tavastland, through the grandeur and majesty of the scenery, were to surpass one from Naples."

Fredenheim would shortly be going to Finland, in connection with a visit planned by Gustav III to the eastern part of his kingdom in June 1785. He was given leave of absence to guide Desprez, he ordered any number of maps to indicate the best viewing points in his native city of Turku, but oddly enough he set out later than Desprez and there was never any direct collaboration between them. Desprez was only given a couple of weeks, but he managed to fit in views from Tavastehus, Björneborg, Sveaborg, various military man-oeuvres and, at Fredenheim's request, Turku, before being summoned back to Sweden; he returned on the royal yacht "Amadis".

Costume drawing for "Gustaf Adolf and Ebba Brahe". Cat.nr 74

Gustav III needed Desprez's services for the scenery for a carousel at Drottningholm in August, and so the artist never had a chance of working up his sketches from Finland. Only a short time afterwards, Fredenheim noted that most of the sketches had been mislaid.

Carousel

Taking Tasso's *Gerusalemme Liberata* as his starting point, Gustav III had freely composed a carousel poetically entitled *The Capture of the Enchanted Forest*. The result was a triumph of Desprez's creativity and productivity. In just over a month, a fortress and a temporary stage had to be built, properties had to be made and costumes run up for 300 participants. "All the workers in the city, under the direction of the painter Desprez, were thus occupied day and night. Quite a few fell ill as a result."

On the very first day the carousel was interrupted by a heavy storm, and the ensuing cloudburst wrecked everything that Desprez and his painters had achieved in those few hectic weeks. It was literally "a wash-out": the paint ran off the beautifully decorated floats and all the gilded splendour vanished. Desprez spent two days trying to repair the damage. Due to the unstable weather, the carousel could not be concluded for another fortnight.

New contract, new stage designs

The following autumn Desprez was fully occupied on the mammoth task of producing stage decorations for Gustav III's and the poet Kellgren's historical drama *Gustaf Wasa*.

The première performance, on 19th January 1786, was rapturously received.

It now became quite clear that Desprez was intent on bursting the constraints of the theatre and creating illusions. Sometimes he appears to have departed completely from the symmetrical stage design of the Baroque, especially in the magnificent scene depicting Slottsbacken (Palace Hill) with the old royal castle of Three Crowns in the background. Although many of the painterly effects were probably lost when Desprez's sketches were translated into flats, the audience was astounded by the brilliant colouring and the breath-taking perspectives. Nor had they ever experienced such frequent changes of scene or such a crowd of extras.

This major success inspired Desprez with greater confidence regarding his prospects in Sweden, but he never seems to have made any serious attempt at learning the language. In that respect he resembles his fellow-countryman Bernadotte, who was to become King of Sweden much later. Deprez was fettered by language difficulties from the outset, and this was probably a cause of his future problems. For his contacts with the outside world he had to depend on his French-speaking friends and colleagues, such as Brusell in the scenery workshop at the Opera and the young Carl Christoffer Gjörwell.

When his contract with the Royal Opera expired in the summer of 1786, Desprez seems to have been full of confidence in the future, since he did not hesitate to sign a new contract for another 12 years. This time, though, he secured an "escape clause", entitling him to indefinite leave of absence for travel abroad.

In the year following his success with *Gustaf Wasa*, Desprez produced several new stage designs, for Leopold's oneact opera *Frigga*, Gluck's *Armida* and Guillard-Ristell-Haeffner's *Electra*. In all these productions, Desprez's suggestive fantasy architecture was a prominent feature.

The first architect to the King

Thus it was no coincidence that Gustav III's stage designer also made his début that year as court architect. This was not a very big step for Desprez to take. First and foremost he could fall back on his own thorough schooling as an architect, but with his great interest in earlier French architecture—as witness his winning entry for the Grand Prix de Rome—he was anything but a typical neo-classicist. In Italy, other things had soon come to occupy his mind, but his studies in the south of Italy had awakened a growing curiosity about the architectural heritage.

When, several years later, Desprez returned to architecture, it was probably the extravagant and imaginative side of his painted and plastic settings for various court festivities which partly induced Gustav III, in the autumn of 1787, to put him in charge of building operations at Drottningholm and Haga. Drawings were presented in rapid succession from various gazebos, stables, guard rooms and so on, but above all Desprez was busy on plans for the new palace of Haga. Those plans grew larger with every passing year. First two more wings were added, and then a grand staircase. Considering the meagre funds available for royal building

Vue of Haga, with the Obelisque. Cat.nr 100

enterprises, the whole project was more or less a castle in the sky. After six years' work, only the foundation walls had been laid, not forgetting the equal amount of exertion required to blast away an inconvenient rock.

Apart from Haga, Desprez's name as an architect has above all come to be associated with the Department of Botany building in Uppsala, with its strict temple front, and the simple but wondrously beautiful foyer of Drottningholm Theatre, otherwise known as the Déjeuner drawing room.

The least-known side of Desprez's work is his interior design and his drawings for applied arts. In common with pure architecture, this coincided with his profession as stage designer, for there is not all that much of a distance between the interiors and furnishings of Haga Palace and the scenery and properties of the theatre. Desprez, then, was very much of a universal artist in the Romantic sense.

In 1788 Desprez provided the scenery for the historical drama *Gustaf Adolf and Ebba Brahe* and for the opera *Cora and Alonzo*—the last two productions of which he had sole charge. He remained as unconcerned as ever with the historical accuracy of his settings. It was of little consequence what Kalmar Castle really looked like, and absolute artistic liberty also sanctioned the use of scenery from earlier productions, such as *Gustaf Wasa*.

Very soon, only two months after the première of *Gustaf Adolf and Ebba Brahe*, the Stockholm audience was regaled with Desprez's remarkable stage designs for the opera *Cora and Alonzo*. The attractions this time included a volcanic eruption, the illusion of which was created by means of paper decorations drenched in turpentine.

Stage design for the play "Aeneas in Carthage". Cat.nr 80

Desprez in London

The Russian War of 1789 led to a recession. Desprez also felt the effects of this in his profession, apart from a short visit to the theatre of war in Finland, at the King's command, during the summer. During Gustav III's absence Desprez took the opportunity of exercising his contractual right to leave of absence. He made his way to London, where the King's Theatre had been destroyed by fire in June. Desprez now displayed his unusual talents by delivering, during the autumn and winter, drawings for a new opera house, though it is uncertain whether these were actually used when the theatre was rebuilt the next year. Either way, Desprez had the scheme engraved by his pupil Beskow.

As we have already hinted, Desprez left London, at the beginning of 1790, in dramatic circumstances. He had eloped with the wife of an innkeeper and, when their boat for Göteborg was delayed in port, the deceived husband turned up with two relatives. We do not know today how the matter was settled, but the lady in question, Charlotte Pembroch de Salie went to live in Sweden with the artist.

Desprez had told Gustav III that he would only be staying in Göteborg for a short time before going on to Karlskrona. In fact he stayed on in Göteborg for nearly six months, partly in order to produce scenery for a burlesque mime, *The Volcanic Eruption*, but the whole thing ended in a fiasco and a heated dispute between Desprez and the theatre manager over deletions from the script. There was one more incident before Desprez left Göteborg. After getting into a brawl with two farmhands he was arrested, but after appealing to the King he escaped both trial and punishment.

Desprez's position after the death of Gustav III

For as long as Gustav III remained alive, Desprez sat firmly in the saddle, but after the assassination of the King in 1792 the whole of his world collapsed around him. His contract, it

is true, was not due to expire for another six years, but his theatre assignments became progressively fewer. Instead he now took up painting and completed some of the battle scenes from the Russian War which the King had commissioned previously. The result, though, was mediocre; Desprez's creative powers were not what they had been.

In 1791 Desprez had succeeded Jean Eric Rehn as the Crown Prince's drawing master, a position which he retained after his young pupil had become King, until 1795. Desprez's tuition lives on in the form of a red morocco volume in the collections of the Nordic Museum containing 21 drawings by the royal teacher and 19 copies by Gustav Adolf. The best copies bear witness to direct influence by the teacher, but a moody, hot-tempered person like Desprez can hardly have been a very suitable teacher for somebody as sensitive and inhibited as Gustav Adolf. And indeed, the young King was to show coolness towards his former tutor later on. True, Gustav IV Adolf, like his father, made Desprez his First Architect and, in November 1801, Agent-General for the Fine Arts in Italy, but otherwise there was no active or pecuniary support to be expected from that quarter.

Desprez's only patron in the corridors of power was First Surveyor Fredenheim, who was intent on helping him. To win the King round, Fredenheim collected a vast quantity of copper plates for a bound edition of Desprez's graphic works. The 40 sheets were printed by Lars Grandel, the medal-engraver. Fredenheim's initiative saved the original plates, which were eventually added to the collections of National-museum. It was also thanks to Fredenheim that, in 1797, the Royal Academy of Art appointed Desprez to succeed Mas-reliez as Professor of Drawing. One year later, though, for some reason, Desprez declined.

When, in 1798, Desprez's 12-year contract came up for renewal, things looked bright to begin with, as a result of Fredenheim's exertions. But Desprez's enemies among artists and officials persuaded the parsimonious Gustav IV Adolf that importing scenery sketches from Paris would be less expensive than retaining Desprez. The contract was never renewed.

The last years

Only one firm assignment now remained for Desprez: the battle scenes for Drottningholm. He looked round desperately, however, for other sources of income. When, through Fredenheim's agency, Francesco Piranesi suggested having a number of Swedish *vedutas* engraved in Paris after Desprez's originals, the artist's enthusiasm was aroused. This project also petered out, however, and the artist never received full payment for a number of paintings commissioned, for the ruler of Portugal, by the Portuguese envoy in Stockholm.

During this period of setbacks and difficulties, Desprez appears, in his art, to have concentrated more and more on subjects far removed from reality. To the 1799 exhibition at the Royal Academy of Art he contributed a collection of "Memorials of Great Men". Seven different drawings are listed in the catalogue. No plans have survived, but a contemporary travelogue by the Italian Giuseppe Acerbi contains the following description:

"He has lately conceived the idea of a pyramid, the base of which could not be fixed anywhere else than in the desert of Arabia, in which statues of all great men in the world, of every possible kind of celebrity or distinction, are to be deposited."

Was this Desprez's answer to Boullé's visionary architecture for Newton? Acerbi's description makes it clear, however, that Desprez kept a certain distance to this art of the cult of genius:

"He admits himself, that in order to carry this design into execution, it would be indispensably necessary for all sovereign powers to join in one society, or club, for defraying the expenses."

During these last years Desprez waited in vain for various assignments abroad. His hopes were pinned one moment on Russian magnates and another on Napoleon Bonaparte. In July 1801 he asked the King for leave of absence to spend four months in Russia, but his application was ignored. The response was equally negative when, in December that year, he proposed travelling to Paris to present himself at the court of Bonaparte.

In the end, disappointment and penury proved too much for the sorely tried artist, and in January 1802 he had a stroke. He recovered with amazing rapidity and now he set his hopes on Vienna. He sent the Emperor two volumes, one containing designs for a *maison de campagne*, and another with a *projet de théâtre dans le goût antique et moderne*. Both volumes, unfortunately, have disappeared without trace. Desprez was never able to establish personal contact with the Imperial Court, and it was only after his death that his heirs received 300 ducats from Vienna "by way of compensation".

Desprez, now 60 years old, died on 19th March 1804 in his home in Hovslagaregatan—only a stone's throw from what is now Nationalmuseum. The rumour soon got about that he had been poisoned—by Portugal's Chargé d'Affaires, according to the architect Sundvall. A public announcement, however, gives "nervous fever" as the cause of death, probably a sequel of the stroke Desprez suffered two years earlier. He was buried in Jacobs (St James's) churchyard on 22nd March but no stone ever marked the grave.

Louis Jean Desprez was and remained a stranger to Sweden. Gustav III had made it possible for him to dedicate himself to a spate of artistic productivity, and within just a few years in the 1780s there resulted a succession of remarkable works which were to revolutionise European stage design. Desprez, however, had many other strings to his bow—architecture, painting, interior design and graphic art—which made him a "universal artist" in the Romantic sense, long before the Romantic period actually set in.

Regrettably, fate decreed that the memory of Deprez's artistic achievement would soon fade. Much of what made him famous—his stage designs, his occasional architecture and his illuminations—was based on materials which were only too perishable. Some of it, though, is resurrected in the summer season, repainted for the stage sets of the operas produced by the Drottningholm Palace Theatre.

Translation: Roger Tanner

Källor och litteratur i urval

OTRYCKTA KÄLLOR

Kungliga biblioteket, handskriftsavdelningen
Biographica, Desprez.
Fredenheims diarier, I.f. 19:1–5.
Brev från Fredenheim till F. Piranesi, Ep F 7:4:1–2.
Brev från L. Masreliez till A. U. Wertmüller, Ep V 12:4.
Brev från J.-B. Masreliez till okänd, Kempeska autografsaml.
Brev från C. F. Sundvall till A. U. Wertmüller, Ep V 12:5.
L. J. Desprez, "Explication des différents projets d'utilité et d'embellissement pour les environs du Château Royal de Stockholm", S 31.

Riksarkivet
Biographica, Desprez.
Överhovceremonimästare L. von Hauswolffs journal 1804, Överceremonimästarämbetets arkiv.
Brev från Desprez till F. S. Silfverstolpe, Näsarkivet, vol. 18.
Magnus Stenbock d.y.:s dagbok 1784, Familjen Stenbocks papper, Eriksbergsarkivet, vol. 77.

Nordiska museet, arkivet
Brev från Johan Hesselius till J. A. Grill, Godegårdsarkivet.

Nationalmuseum, arkivet
Ämbetsarkivet, Kongl. museum, koncept.
Biographica, Desprez, Karl Olov Gierow, "Desprez' fyra läkarsatiriska gravyrer som teaterhistoriska dokument", opubl. manuskript.

Lunds universitetsbibliotek, handskriftsavdelningen
Brev från hertig Karl (XIII) till Jakob De la Gardie, De la Gardieska arkivet, vol. 342.

Uppsala universitetsbibliotek, handskriftsavdelningen
Brev från Sergel till Gustav III, F 429.
Brev från kardinal de Bernis till Gustav III, F 492.
Brev från Fredenheim till Gustav III, F 501.
Brev från Sergel till Nils Rosén von Rosenstein, F 830e.

LITTERATUR

Adlersparre, Carl August, *Anteckningar om bortgångne samtida*, Sthlm 1862.

Beijer, Agne, *Slottsteatrarna på Drottningholm och Gripsholm*, Sthlm 1937.

–, *Drottningholms slottsteater på Lovisa Ulrikas och Gustaf III:s tid*, Borås 1981.

Berg, Wilhelm, *Anteckningar om Göteborgs äldre teatrar*, I, Gbg 1896.

Bergman, Gösta M., *Regi och spelstil under Gustaf Lagerbielkes tid vid Kungl. teatern*, Sthlm 1946.

Bjurström, Per, "Mises en scène de Semiramis de Voltaire en 1748 et 1759", *La Revue d'Histoire de Théâtre*, 1956, s. 1–22.

–, *Teaterdekoration i Sverige*, Sthlm 1964.

–, "Louis Jean Desprez and his Sicilian Recollections", *European Drawings from six Centuries. Festschrift to Erik Fischer*, Köpenhamn 1990, s. 61–78.

Catalogue of Scenery from Swedish Court Theatres. Drottningholm, Gripsholm and Rosersberg, (red. B. Stribolt), under utgivning.

Cayeux, Jean de, "Introduction au catalogue critique des Griffonis de Saint-Non", *Bulletin de la Société de l'Histoire de l'Art Français*, LXXXIX, 1963 (1964), s. 297–384.

Dahlgren, Fredrik August, *Anteckningar om Stockholms teatrar*, Sthlm 1866.

De Seta, Cesare, "L'Italia nello Specchio del Grand Tour", *Il Paesaggio (Storia d'Italia)*, Turin 1982, s. 127–263.

Ehrensvärd, Ulla, *Svenska arkitekturritningar i Eremitaget och andra samlingar i Leningrad*, NM Skriftserie 8, Sthlm 1962.

Eliasson, Ture, "Naturens tempel", *Gustaf III*, Sthlm 1972, s. 77–104.

Fersen, Fredrik Axel von, *Historiska Skrifter*, V, Sthlm 1870.

Fredenheim, Karl-Fredrik, *Dagboksanteckningar under en resa till Åbo 1785*, Helsingfors 1902.

Gjörwell, Carl Christoffer, *Familjebref*, utg. av O. Levertin, Sthlm 1900.

Griffiths, Anthony, "The contract between Laborde and Saint-Non for the Voyage pittoresque de Naples et de Sicile", *Print Quarterly*, V, 1988, s. 408–414.

Guimbaud, Louis, *Saint-Non et Fragonard. D'après des documents inédits*, Paris 1928.

Hautecœur, Louis, *Histoire de l'architecture classique en France*, V, Paris 1953.

Hultmark, Emil, *Kungl. Akademien för de Fria Konsterna utställningar 1794–1887*, Sthlm 1935.

Krönig, Wolfgang, "Louis Jean Desprez' Zeichnungen des normannischen Domes in Salerno", *Nordisk medeltid*, 1967, s. 328–337.

Lamers, Petra, *Die Voyage pittoresque des Abbé de Saint-Non und ihre Illustrationen*, 3 vol., akad.avh., Mainz 1992, (under utgivning).

Lewenhaupt, Eugène (utg.), *Brev rörande teatern under Gustaf III*, Uppsala 1894.

Looström, Ludwig, *Den svenska konstakademien under första århundradet af hennes tillvaro 1735–1835*, Sthlm 1887–91.

Lugt, Frits, *Les marques de collections de dessins & d'estampes*, Haag 1956.

Lundberg, Gunnar W., *Svenskt och franskt 1700-tal i Institut Tessins samlingar*, Malmö 1972.

Montaiglon, Anatole de & Guiffrey, Jules, *Correspondance des directeurs de l'Academie à Rome*, XIII–XV, Paris 1904–06.

Moselius, Carl David, "Louis Masreliez' brev till Gustaf af Sillén", *Nationalmusei Årsbok* 1922, s. 145–162.

–, *Louis Masreliez' och Carl August Ehrensvärds brevväxling*, Sthlm 1934.

Olausson, Magnus, "Léon Dufourny and the Muse Gallery of King Gustavus III", *Nationalmuseum Bulletin*, vol. 12:2 (1988), s. 102–109.

–, "Tournaments and carousels in the gustavian era", *Gustavian Opera*, Uppsala 1991, s. 223–236.

Paris 1975, Svenska kulturinstitutet, *Louis Jean Desprez*, (kat. Börje Magnusson).

Paris 1979, Hôtel de Sully (CNMHS), *Charles de Wailly. Peintre – architect dans l'Europe des Lumières*.

Pérouse de Monclos, Jean, *"Prix de Rome". Concours de l'Academie royale d'architecture au XVIII* siècle*, Paris 1984.

Rom 1976, Académie de France, *Piranèse et les Français*.

Rosenberg, Pierre & Brejon de Lavergnée, Barbara, *Saint-Non. Fragonard. Panopticon Italiano. Un diario di viaggio ritrovato 1759–1761*, Rom 1986.

Setterwall, Åke, *Erik Palmstedt 1741–1803. En studie i gustaviansk arkitektur*, akad.avh., Sthlm 1945.

Stockholm 1982, Nationalmuseum, *På klassisk mark*, (kat. Pontus Grate).

Stribolt, Barbro, "Louis Jean Desprez. An introduction", *Gustavian Opera*, Uppsala 1991, s. 123–127.

–, "Desprez' urban scenes", *Gustavian Opera*, Uppsala 1991, s. 129–137.

Swinburne, Henry, *Travels in the Two Sicilies in the years 1777, 1778, 1779 and 1780*, 2 vol., London 1783.

Tuzet, Hélène, "Une querelle littéraire en 1785. L'abbé de Saint-Non et ses collaborateurs", *Revue Littérature comparée*, LXXXIII, 1947, s. 428–436.

–, *La Sicile vue par les voyageurs étrangers au XVIII* siècle*, Strassburg 1955.

Upfostrings-Sälskapets Tidningar, Sthlm 1784, no 35, s. 275–276.

Wollin, Nils G., *Drottningholms lustträdgård och park*, akad.avh., Sthlm 1927.

–, "Gustav III:s bataljgalleri på Drottningholm", *Nationalmusei årsbok* 1932, s. 78–95.

–, "Peterskyrkan och Piazza del Quirinale", *Nationalmusei årsbok* 1933, s. 70–89.

–, *Gravures originales de Desprez ou exécutées d'après ses dessins*, Malmö 1933.

–, "Voltaires Semiramis och Desprez", *Östergötlands Fornminnes- och Museiförenings årsbok* 1933–34, s. 143–152.

–, *Desprez en Italie*, Malmö 1935.

–, *Desprez i Sverige*, Sthlm 1936.

–, *Desprez en Suède*, Sthlm 1939.

Vinjett: Amortemplet, linjeetsning. En av Desprez' tidigaste teatrala bilder